TOUCHDOWN

Nous reconnaissons l'aide financière du gouvernement du Québec par l'entremise de la Société de développement des entreprises culturelles (SODEC) pour nos activités d'édition. Gouvernement du Québec – Programme de crédit d'impôt pour l'édition de livres – Gestion SODEC.

PERRO ÉDITEUR
395, avenue de la Station, C.P.8
Shawinigan (Québec) G9N 6T8
www.perroediteur.com

Infographie et couverture : Lydie De Backer
Révision : Stéphanie Veillette et Lydie De Backer

Dépôts légaux : 2015
Bibliothèque et Archives nationales du Québec
Bibliothèque nationale du Canada
ISBN : 978-2-923995-87-8

PATRICK MARLEAU ET ÉTIENNE BOULAY

Chapitre 1

Il se sentait comme un Spartiate d'autrefois, prêt à accomplir d'extraordinaires prouesses sur le champ de bataille. Certes, l'équipement qu'il revêtait lui donnait un sentiment d'invulnérabilité, mais c'était plutôt cette poussée d'adrénaline dans ses veines qui lui apportait cette confiance, voire l'arrogance de triompher sur ses adversaires.

Zakary Duclair était assis devant son casier dans l'étroit vestiaire des Pékans du cégep de Rimouski. L'air nauséabond habituel avait été temporairement remplacé par celui, chimique, des produits nettoyants. Rien de trop beau pour la rentrée ! Zakary tenait son casque de football contre sa poitrine gonflée par les épaulettes qu'il portait en dessous de son chandail bleuté. Il tentait de calmer sa nervosité en prenant de longues respirations. Seul, il profitait de ces quelques secondes d'accalmie avant de rejoindre ses coéquipiers.

Les entraînements s'étaient amorcés ces derniers jours, mais il s'agissait d'une remise en forme en gymnase avec, au menu, des courses pour mettre à l'épreuve l'endurance, des étirements pour vérifier la souplesse, des poids et haltères pour mesurer la force et une multitude d'exercices pour dégourdir les muscles.

Déjà il pouvait voir les différents clans dans l'équipe. Les vétérans formaient un cercle assez restreint qui regardait d'un air hautain les nouveaux venus. Heureusement, il lui avait été plus facile de fraterniser avec les autres recrues, dont Pierre-Antoine Saint-Germain-Labonté, dit P-A, seul noir du groupe. Grâce à son aspect gigantesque et sa silhouette plus que grassouillette, l'entraîneur en chef, Sylvain Loiselle, lui avait donné l'affectueux sobriquet de Panda. Contrairement à Zakary, qui affichait une grande forme, P-A avait souffert terriblement. Le cardio n'était pas une de ses forces. Il peinait à finir les exercices dans les temps voulus. Il était victime de railleries de la part de certains coéquipiers. Empathique envers son collègue, Zak espérait que celui-ci puisse se racheter dans le feu d'action.

Pierre-Antoine pouvait le prouver aujourd'hui alors que les joueurs s'entraînaient enfin sur le terrain. Il n'y aurait plus de cadeaux. Les vétérans chercheraient à protéger leur poste. Quant à Zakary, il se devait de briller comme au secondaire l'an dernier. Sa défaite lors de la finale du Bol d'or lui avait laissé un goût amer. Maintenant, tout était à recommencer. Nouvelle ville. Nouvelle école. Nouveau programme. Nouvel entraîneur. Nouveau système de jeu. Nouveaux coéquipiers. Il tenait donc à prouver à la direction qu'elle avait pris la bonne décision en lui faisant confiance, et à ses détracteurs que, malgré sa petite taille, il pouvait compétitionner à ce niveau.

Par contre, il lui était difficile de se surpasser sous cette chaleur accablante assez inhabituelle pour une fin août. Les rayons du soleil se faisaient sentir même s'il n'était pas encore midi. Cette séance d'entraînement matinale s'avérait un véritable calvaire ! Les pauses pour se désaltérer revenaient fréquemment. Il n'était pas question qu'un joueur subisse un malaise comme il arrivait parfois à ces jeunes étudiants américains qui y trouvaient même parfois la mort !

Après les échauffements traditionnels, les entraîneurs s'occupaient maintenant chacun de leur unité respective : l'attaque et la défense. Sylvain Loiselle se promenait d'un coin de terrain à l'autre, surveillant la pratique avec les yeux perçants d'un faucon, intervenant lorsqu'il en sentait le besoin. Et il ne se gênait pas ! Sa grosse voix percutante pouvait figer n'importe qui sur le terrain. Même si c'était sa première année à titre d'entraîneur-chef, il avait rapidement gagné le respect des joueurs. Après tout, il demeurait une légende aux yeux de certains, malgré sa jeune trentaine.

Zakary et les autres porteurs de ballons s'affairaient à maîtriser leur course. Les jeux de pieds étaient essentiels. Ils suivaient des tracés marqués de petits disques en plastique rouge. Pour être un porteur de ballon efficace, il fallait également posséder de la hargne et de la ténacité. Et cela, Zak en avait en grande quantité.

– Duclair ! C'est à ton tour ! N'oublie pas que tu n'affrontes plus des jeunes du secondaire ! Tu fais face à des hommes ! lui cria le superviseur de l'attaque.

Zak se mit en position de départ, prêt à exécuter les consignes.

– Il paraît que tu as de bonnes jambes. Montre-nous de quoi tu es capable, ajouta l'assistant de Loiselle.

Il devait foncer en ligne droite en tentant d'éviter trois plaqueurs de la brigade défensive, dont les deux jumeaux Rioux, William et Guillaume. Élevés dans une ferme, les deux frères à la chevelure bouclée ne fréquentaient pas le cégep grâce à leurs notes mais plutôt à cause de leur force physique. On disait même que l'un d'eux aurait maîtrisé un bœuf par les cornes ! Zak envoyait son corps à l'abattoir, sachant que pour survivre il aurait à exploiter sa vitesse face à ces mastodontes ! Au commencement, il sut bien contourner son premier adversaire, William, mais Guillaume l'attendait de pied ferme et l'impact fut brutal. Zak eut le souffle coupé. Frères Rioux 1, Duclair 0.

Jérémie Maillé, costaud joueur de deuxième année, se lança dans la mêlée. Il eut un peu plus de succès que Zakary en se rendant jusqu'au troisième plaqueur, Étienne Whittom, un colosse de six pieds deux et trois cents livres. Avec sa longue barbe bien fournie, son crâne rasé et ses bras tatoués, il ressemblait à un personnage de la série télévisée *Sons of Anarchy*. Au contact de Whittom, le ballon bondit des mains de Maillé et l'attaquant fut violemment projeté au sol.

Après une courte pause pour retrouver ses esprits, Zakary voulut se reprendre.

– *Coach* ? J'y vais à nouveau.

– *Go* Duclair ! Pousse à fond !

Il réussit à se défaire des blocs des Rioux pour se rendre jusqu'à Whittom qui le freina brusquement.

– Envoye ! Refais-le ! T'es pas *game* ! Personne ne peut me battre ! Surtout pas toi, le nain ! cria Whittom avec satisfaction.

Sa revanche accomplie auprès des Rioux, Zak voulut maintenant ajouter Whittom à son tableau de chasse, et ce, même s'il lui arrivait à l'épaule ! Le jeune homme blottit le ballon contre son corps et s'avança à vive allure vers les trois joueurs devant lui. Il fit une brillante feinte vers la gauche pour déjouer un William médusé et réussit à se défaire de la prise d'ours de Guillaume qui tomba, pantois, à plat ventre sur le sol. Étienne attendait fermement Zakary. Trop impatient de le maîtriser, il prit position en premier. Il fit un geste vers la droite, ce qui permit à Zak de freiner et, d'un vif mouvement, de se propulser vers la gauche de son adversaire. La main d'Étienne effleura le chandail de Zak, qui réussit à le contourner sous les applaudissements des autres porteurs de ballon, ravis de voir l'un d'eux enfin réussir à humilier le grand Whittom.

– Bravo Duclair ! C'est rare qu'une recrue déculotte notre cinquante-cinq ! lui déclara son superviseur sous l'œil attentif de Loiselle.

Au loin, les autres joueurs de l'attaque, les receveurs, attrapaient difficilement les ballons envoyés dans les airs par le quart-arrière Steven Francoeur. C'était l'une des grandes faiblesses de l'équipe, ce qui expliquait, en partie, pourquoi elle croupissait au bas fond de sa division depuis quelques années. Francoeur, qui portait le numéro 1, se donnait également le rôle de la vedette des Pékans. Plutôt égocentrique, il se souciait plus de son image sur le terrain que des prestations de l'équipe en général. Grand, blondinet, yeux bleus et mâchoire carrée, il avait le look d'une star. Le genre de frais chié qui était toujours le plus populaire auprès des filles, et ce, depuis l'école primaire. Il pouvait se montrer également baveux à ses heures. Il n'aimait pas être contrarié et chérissait son influence auprès de ses amis coéquipiers, comme Gollum et son anneau unique. C'était la source de son pouvoir. Puisqu'il était un garçon de la place, il aurait été mal vu de pousser la vedette locale. D'autant plus que Steven pouvait faire de très bonnes performances quand il le voulait. Il en avait le talent, mais le problème était que ça ne se produisait qu'une partie sur trois. La marge est mince quand la saison n'est que de dix matchs. Par contre, l'entrée en scène de Loiselle allait peut-être changer la donne. Enfin, c'est ce qu'il espérait instaurer : un véritable esprit d'équipe au lieu d'une atmosphère de *country club* dans lequel c'est chacun pour soi.

Quant à Pierre-Antoine, il s'amusait à défoncer les *dummies,* ces machines couvertes de gros coussins, avec ses collègues de la ligne défensive.

Ensuite, place au duel des plaqueurs. Deux joueurs se faisaient face au-dessus d'une ligne blanche. Au son du sifflet, ils devaient repousser leur adversaire vers l'arrière sur une distance de trois verges. Ce concours était très impressionnant à cause du bruit fracassant des casques et des épaulettes qui entraient en contact. C'était la rencontre au sommet d'une force brutale, sans pitié. P-A avait ridiculisé son premier opposant, le vétéran centre Vincent Robitaille, en le projetant d'un simple coup au-delà des trois verges. La deuxième confrontation fut plus ardue avec Whittom. Le duel fut âprement disputé, chaque gladiateur résistant aux assauts de l'autre. Loiselle déclara la joute nulle. Il félicita Pierre-Antoine et donna une petite tape en guise d'approbation sur l'épaule de Whittom.

– Impressionnant, Panda ! Ce n'est pas tout le monde qui peut rivaliser avec Whittom. Maintenant, il faudra voir ce que ton gros cul va être capable de faire dans un vrai match. Allez ! Aux douches !

En quittant le terrain, Zakary vit au loin l'équipe de meneuses de claques pratiquer leurs pirouettes. Habillées d'une jupette bleu poudre et d'une camisole blanche ornée du logo des Pékans, elles étaient très séduisantes, surtout la capitaine de l'escouade. Ses longs cheveux blonds attachés en queue de cheval, ses yeux d'un bleu océan, son petit nez bien taillé, sa poitrine plutôt généreuse et ses muscles juste assez bien ciselés ne laissaient aucun garçon indifférent. Pour Zakary, ce fut le coup de foudre. Son long regard vers Victoria dut manquer de subtilité car Whittom le poussa dans le dos.

– Oublie-la ! Elle appartient à Francoeur. T'as aucune chance…

***

Le jet d'eau chaude était le bienvenu, il donnait l'effet d'un massage corporel. Les tensions musculaires se relâchaient et l'adrénaline se dissipait. Zakary chuchota à son voisin, Jérémie Maillé :

– Quel est le nom de la belle *cheerleader* blonde ?

– Difficile de ne pas la remarquer, non ? Victoria Turmel. Une deuxième année.

– C'est quoi son histoire avec Francoeur ?

– Qui t'a raconté ça ?

– Whittom.

– Elle et Steven sont sortis ensemble quelques semaines l'an dernier. L'histoire classique de la *cheerleader* et du quart-arrière ! Puis leur relation a pris fin mystérieusement.

– Elle est seule en ce moment ?

– Je crois, oui. En tout cas, elle n'est pas avec Francoeur. Il veut juste faire peur à ses nouveaux prétendants. Il pense qu'il va la reconquérir. Il est obsédé par elle. Fais gaffe. Tous ceux qui se sont approchés d'elle se sont brûlés.

– Merci, mais je n'ai pas peur du feu ! répondit Zak en souriant.

***

La chambre de sa résidence comportait juste assez d'espace pour les deux lits, les petits bureaux assortis pour étudier ainsi que quelques étagères pour les babioles. Chacun avait droit à sa minuscule commode pour les vêtements – souvent éparpillés sur le sol, ce qui encombrait légèrement la pièce. Une fenêtre permettait à la lumière du jour d'y pénétrer et des affiches au style très opposé recouvraient les murs. D'un côté, des images de joueurs de football, dont Ben Cahoon, des Alouettes de Montréal, l'une des idoles de Zak. Malgré sa petite taille, Cahoon avait montré énormément d'acharnement et il est devenu l'un des meilleurs joueurs de la Ligue canadienne de Football. De l'autre, des groupes de musique alternatifs dont Zakary n'avait jamais entendu parler.

Cédrik Rioux, son coloc, ne pouvait pas être plus différent que ses deux colossaux cousins. Premièrement, il ne connaissait rien au sport en général ni au football en particulier. Ensuite, la fée des gênes athlétiques n'était pas passée pour lui. Petit et rondelet, il parlait sans cesse et son rire chaleureux était dur à ne pas aimer. Il préférait se relaxer au son de la musique, source de plaisir de son quotidien.

Zak s'affaissa dans son lit, complètement vidé. Cédrik s'approcha doucement de son oreille :

Hey bro ! *Come on* ! Réveille-toi ! Tu vas manquer le méga party au Cactus.

– J'suis trop crevé ! Pis en plus, je dois étudier mon cahier de jeux, répondit Zak en pointant le gros porte-document blanc sur son bureau.

– *Shit !* J'pensais que c'était pour un de tes cours ! Pourquoi apprendre des jeux ? Le but, ce n'est pas de lancer le ballon dans la zone de l'autre équipe et d'empêcher ses joueurs d'aller dans la tienne ?

– C'est plus compliqué que ça, niaiseux. Le football, c'est comme les échecs. C'est un jeu de stratégie. Chaque joueur est comme un pion, il faut que tout s'exécute parfaitement pour que ça réussisse.

– C'est jeudi ! Il faut sortir ! insista Cédrik. On ne peut priver la gent féminine de notre compagnie ! En plus, j'ai *spotté* une fille l'autre soir ! Une déesse, mon gars. Une musicienne !

– J'peux pas. Mon premier cours est demain matin. J'sais même pas comment je vais faire pour m'y rendre. Je n'ai plus de jus !

– Tiens, prends un petit remontant. Ça va te donner de l'énergie, dit Cédrik avec un large sourire pendant qu'il sortait du dessous de son lit un grand contenant de style *tupperware*

– T'es pas sérieux ?

– Qui va le savoir ?

CHAPITRE 2

Zakary revint tranquillement à lui. Toutefois, son état de conscience demeurait dans cette zone nébuleuse de semi-sommeil où nos rêves sont parfois complètement absurdes. Il se croyait sur scène avec Beyoncé lors de son spectacle à la mi temps du *Superbowl*. Elle s'approcha de lui et il retira, à la manière de Justin Tumberlake sur Janet Jackson, une partie de son vêtement, exposant du même coup sa magnifique poitrine ! Subjuguée, la chanteuse l'embrassa passionnément. L'artiste Beyoncé était une figure récurrente de ses fantasmes.

Alors qu'il se réveillait, Zak sentait son corps plutôt mal en point, sans être capable de se souvenir précisément de la raison. Guidé par son intuition, il releva soudainement la tête de son oreiller pour vérifier l'heure. Il était en retard ! Cédrik avait déjà quitté la chambre. S'il parvenait à se préparer rapidement, il n'aurait perdu qu'une dizaine de minutes de cours. Il prit une courte douche pendant laquelle il remarqua de drôles de bleus sur son torse. Sa mâchoire était également sensible et il avait l'impression qu'on jouait du piano sur son crâne, mais avec des maillets. Rapidement, il enfila des vêtements tout en apercevant ceux d'hier, empilés dans un coin. Il ne put s'en approcher tant l'odeur répugnante du vomi remplissait ses narines. Il envoya un message à son coloc, le suppliant de le rejoindre rapidement.

Il quitta sa chambre à vive allure pour regagner sa classe qui, heureusement, était proche sur le campus. Une petite course sous le beau soleil et la montée de quelques marches pour rejoindre le deuxième étage, et Zak se trouvait devant le local de son cours. Il tourna doucement la poignée et ouvrit la porte avec précaution pour éviter de se faire remarquer par le professeur qui s'adressait à la classe. Zak repéra un bureau non occupé sur la gauche. Heureux de ne pas avoir à traverser la pièce, il se dirigea vers la place libre lorsqu'il accrocha au passage le sac d'un étudiant au sol. Il perdit pied et entra brusquement en collision avec une autre étudiante, Marjorie Lacroix. La jolie rouquine aux cheveux bouclés dut ramasser son porte-document qui se retrouva au sol. Quelques bureaux se déplacèrent également, ce qui causa un petit bouleversement dans la salle de classe. Tandis que Zak s'installait, son voisin lui fit un grand sourire et leva son pouce en guise d'approbation. Ne sachant pas trop comment réagir, il fit un léger signe de tête.

Yvon Roy, professeur de littérature, exaspéré par tout ce bruit, tourna le regard vers son nouvel élève :

– M. Duclair, je présume ? Bienvenue parmi nous. Merci de nous faire bénéficier de votre présence. J'imagine qu'arriver à l'heure était une consigne trop contraignante ?

– Non, m'sieur. J'ai eu une nuit difficile.

Derrière lui, un étudiant donna un bon coup sur son épaule gauche, comme s'il faisait partie de ses proches amis. Zak devenait un peu consterné par toute cette attention que les autres élèves semblaient lui donner. Il pouvait percevoir les regards des uns et entendre les murmures des autres. Il se sentait comme l'attraction vedette d'un zoo. Yvon Roy s'approcha.

– J'espère que vous vous donnerez mieux en spectacle sur le terrain que dans ma classe !

– J'y compte bien. Enfin, je vais y mettre le même effort, m'sieur.

Le vétéran enseignant, les cheveux gris en bataille et le ventre bedonnant, fixa Zak un court instant.

– Bon. Où en étais-je ? Littérature et théâtre, amour et désir. Le mois prochain, nous aborderons donc le fameux monument *Cyrano de Bergerac* ! continua-t-il dans l'indifférence générale de la classe.

***

Une fois le cours terminé, Zak réussit enfin à sortir de sa cage de regards curieux. Sans réponse de Cédrik, il tenta de le retrouver sur le campus, convaincu qu'il pourrait l'aider à replacer les pièces du casse-tête de la veille. Comble du bonheur, il croisa Pierre-Antoine qui se dirigeait vers la cafétéria.

– P-A ? Qu'est-ce qui s'est passé hier ? Es-tu au courant ?

– Zak ? Ouf ! Tu empestes encore ce matin !

– Qu'est-ce que j'ai fait ? Tout le monde me regarde comme si j'étais Channing Tatum qui débarque au cégep !

– Tu t'es présenté au Cactus déjà bourré. Maillé, quelques gars et moi, on a essayé de te ramener, mais tu ne voulais rien savoir. Cédrik et toi avez rejoint sa bande et le *party* a commencé.

– *Shit.*

– Tu t'es mis à chanter debout sur une table puis à faire un *strip-tease*... Quand j'ai voulu t'en empêcher, tu m'as envoyé promener. Je suis donc parti avec les autres gars.

– S'cuse-moi. Je suis vraiment désolé...

– Le pire, c'est que quelqu'un a tout filmé. Tu es une vedette du web, *man.*

– Montre-moi !

– Va sur la page Facebook de Whittom.

Zak observa la vidéo en espérant qu'elle ne soit pas trop embarrassante.

– Oh non ! Faut absolument que j'aille parler au *coach.*

Zak quitta précipitamment son ami et prit la direction du département d'éducation physique. Dehors, il tomba malheureusement sur la bande de Francoeur. Le grand blondinet se faisait harceler de questions par le journaliste sportif de l'hebdo de l'école :

– Et puis ? À quoi peut-on s'attendre comme saison, Francoeur ? Une autre fiche perdante ?

– Sacre-moi patience, Beaulieu, répondit sèchement le quart-arrière.

– Est-ce que tu vas encore lâcher le ballon ou tu vas accepter de te faire brasser un peu ?

– Écrase !

– Est-ce que ta rupture avec Turmel nuira à tes performances ?

– Ferme-la ! Va donc couvrir les vraies nouvelles au lieu de m'achaler avec tes niaiseries !

Le journaliste en herbe grassouillet aperçut Zak au loin. Il lui cria :

– Duclair ? Des commentaires sur l'escarmouche d'hier ?

Francoeur s'avança vers son nouveau coéquipier.

– Hey, la recrue ! Tu t'approches pas d'elle, OK ? T'as bien compris ?

Zak continua son chemin, préférant ne pas donner suite aux menaces de Francoeur. Beaulieu se dépêcha à rejoindre Duclair, espérant lui tirer une déclaration.

– Zak ? Beaulieu de l'Écho Campus, se présenta-t-il tout en reprenant son air. T'as montré... vraiment des couilles hier... en t'en prenant à Francoeur.

– Honnêtement, je ne me souviens plus de rien.

– Sérieusement ? Lui et sa garde rapprochée se sont présentés au Cactus. Tu te donnais pas mal en spectacle déjà. Puis il y a eu une engueulade à propos de Victoria Turmel et il a fallu qu'on vous sépare.

– Beaulieu ? Je n'ai rien à ajouter. Fous-moi la paix maintenant.

Au fur et à mesure des témoignages, Zak réalisa à quel point il s'était mis dans le pétrin ! Il regrettait d'avoir écouté son co-chambreur. Il n'aurait plus le droit à l'erreur avec une telle frasque. Il aperçut Cédrik qui se préparait pour son cours d'escrime. Dès qu'il avait vu cette option, il jubilait à l'idée d'apprendre les rudiments de l'épée pour se sentir comme un Jedi.

– Dans quoi tu m'as embarqué hier ? J'vais être dans le trouble, pis pas à peu près !

– *Chill, bro*! On s'est amusés ! Ma collation t'a relaxé et le *party animal* est sorti de sa cage ! hurla de rire Cédrik.

– Le problème est que tout le monde m'a vu ! enragea Zak en pointant sur son cellulaire l'infâme vidéo qui en était déjà à plus de mille visionnements.

– C'est malade, non ? Ta glissade ratée sur l'enfilade de tables était magique !

– Une chance que j'ai juste eu des bleus sur mon torse.

– Mais la cerise sur le *sundae* a été le moment où tu t'es mis en position *Karate Kid* devant Francoeur. Au lieu de lui donner un coup de pied, tu lui as dégueulé dessus et après tu es tombé dans les pommes ! C'était épique !

– Monsieur Miyagi serait fier...

Le cellulaire de Cédrik se mit à vibrer.

– Oui ? répondit-il. Oui. Oui. Oui.

Puis, il raccrocha.

– C'était le directeur. Il veut nous voir à 16 heures.

– Quel cauchemar ! constata Zak, incrédule devant l'ampleur que cette soirée avait prise.

***

Ils avaient poireauté devant la secrétaire trente bonnes minutes avant de finalement rencontrer le directeur, André Lacroix. Cette volontaire tactique d'attente était bien connue parmi les élèves habitués à visiter cette partie de l'établissement. La silhouette filiforme de Lacroix se tenait devant la fenêtre, dos aux deux plaisantins.

– Qu'est-ce que je dois faire avec vous deux, zigotos ? L'un est un *stoner* qui préfère se geler plutôt qu'étudier et l'autre, un athlète qui enlève son linge en public en traînant son programme dans la boue ! siffla Lacroix en se retournant.

– Ben, vu le nombre de visionnements, c'est une bonne pub pour votre école, non ? répondit Cédrik d'un ton ironique.

– De la grande classe, Rioux ! À ta place, je me forcerais un peu pour ne pas devenir le premier BS de ta famille ! Ce serait une grande fierté pour eux ! Que je te pogne pas avec d'autre stock sur toi, sinon c'est l'expulsion !

– Oui, monsieur le directeur.

– Allez ! Sacre ton camp !

Cédrik échangea un air de sympathie avec Zak et, au moment où il quitta la pièce, Sylvain Loiselle entra dans le bureau. Il jeta un regard sévère sur son joueur qui demeurait toujours debout.

– Loiselle ? Il va falloir mieux contrôler vos joueurs. Des frasques comme celles-ci, je n'en veux pas dans mon établissement scolaire, et surtout pas sur les réseaux sociaux !

– Vous avez raison.

– Si je peux me permettre, ajouta Zak, tout le monde fait des erreurs de jeunesse et a le droit de se tromper, non ? Même vous, *coach* ?

– Monsieur Duclair, laissez la vie personnelle de votre entraîneur en dehors de ceci. Vous avez affiché assez d'insolence ces vingt-quatre dernières heures pour ne pas jouer votre première partie.

Zak était en colère. Il trouvait la sanction beaucoup trop sévère.

– À votre place, je ne priverais pas l'équipe d'un de ses meilleurs éléments !

– Duclair, je vous ai averti !

– Monsieur le directeur ? demanda Loiselle. Je ne crois pas que Zakary mérite un match de suspension. Par contre, faire du bénévolat pourrait-il être une solution convenable ? Quant à son comportement, je veillerai personnellement à ce qu'il ne manque plus de respect envers cet établissement.

Lacroix hésita un moment, puis il accepta l'offre de Loiselle.

– Monsieur Duclair, vous pouvez partir. Je vous reviens avec votre sanction.

Soulagé, Zak quitta le bureau en vitesse.

– Loiselle, pourquoi ne pas l'avoir remis à sa place ?

– Parce qu'il a du *guts*. Il peut faire la différence sur le terrain. Vous êtes venu me chercher pour gagner, n'est-ce pas ? Duclair n'est pas une grande gueule. Il est arrogant, comme tout jeune avec un certain talent qui pense qu'il va tout gagner, mais il est le seul à être capable de confronter Francoeur et je suis très curieux du résultat que ça va donner.

– Gardez vos joueurs en laisse et assurez-vous de gagner, car je ne pourrai plus justifier ce programme encore une autre année si les choses ne s'améliorent pas.

Chapitre 3

Gonflés à bloc, les joueurs des Pékans étaient enfin heureux de renouer avec l'action contre de vrais adversaires après deux semaines intenses de périodes d'entraînement. Fier, Zakary portait le numéro 22, le même que l'un des meilleurs porteurs de ballon de l'histoire de la LNF, Emmitt Smith, ancienne gloire des Cowboys de Dallas.

– Maintenant, c'est votre chance d'aller montrer ce que vous avez dans le ventre ! Faites honneur aux couleurs que vous avez sur le dos. Vous ne représentez pas juste les Pékans, mais l'école au complet… RIMOUSKI au complet ! Donnez tout ce que vous avez pendant les soixante prochaines minutes ! Je veux qu'on donne le ton avec des gros *hits* en partant. Je veux que tout le monde sache que, cette année, les Pékans sont à prendre au sérieux !

Le sermon d'avant-match de l'entraîneur livré, Zakary et ses coéquipiers se frappaient les épaulettes à tour de rôle en guise d'encouragement. L'adrénaline se répandait dans les corps. Les joueurs quittèrent le vestiaire sous les « Go ! Go ! Go ! » de Loiselle. Il y avait une espèce d'euphorie, comme des soldats qui vont à la guerre malgré l'incertitude du résultat. En cette belle journée ensoleillée, ils affrontaient les Éclairs de Thetford, une équipe moyennement talentueuse, mais féroce et rapide. Elle avait une solide éthique de travail et n'abandonnait jamais. Il s'agissait, pour les Pékans, d'un bon test pour le début de la saison.

Pour se rendre au stade, les joueurs devaient traverser un stationnement extérieur. Ils suivaient avec fierté le vétéran bloqueur, Danick Gauthier, qui portait le drapeau de l'équipe. Il partageait peut-être le physique de Whittom, son partenaire des lignes offensives et défensives, mais son tempérament était tout autre. Gauthier était d'une douceur extrême. Mais, sur le terrain, tel Bruce Banner qui se transforme en l'incroyable Hulk, il faisait tout ce qu'il pouvait pour contenir les joueurs sous sa surveillance. D'ailleurs, cette férocité le poussait à prendre un peu trop de punitions au goût des entraîneurs.

Arrivés à l'entrée du terrain, les joueurs ralentirent la cadence. Zak, trop occupé à observer la petite foule, une cinquantaine de personnes tout au plus, fonça dans la mascotte de l'équipe qui passait devant lui. Le pékan géant tomba au sol. Heureusement, sa tête resta fixée, bien en place. Désolé, Zak l'aida à se remettre sur ses deux pieds, sous les fous rires de ses coéquipiers. La fanfare de l'école se mit à interpréter le thème de *Rocky* sans trop de conviction, mais surtout en y jouant quelques fausses notes. Les joueurs avançaient sur le terrain, encouragés par des applaudissements dispersés et les cris des meneuses de claques. Le stade était pratiquement désert. Il faut dire que les mauvaises performances des Pékans au cours des dernières années avaient laissé la ville plutôt dans l'indifférence. Il y avait quelques irréductibles, parents et amis, professeurs et représentants des médias locaux, dont Beaulieu du journal du cégep. Sur les lignes de côté, l'animateur DJ Dan faisait la présentation des deux équipes avec sa verve joviale. Quant aux meneuses de claques, elles tentaient de mettre de l'ambiance avec leur cri de ralliement et leurs impressionnantes pirouettes. Zak se demandait si les encouragements n'étaient pas plus pour elles-mêmes que pour eux. Victoria Turmel passa tout près de lui tandis que les joueurs se regroupaient sur le banc, attendant les consignes de leur entraîneur.

– Alors, il paraît que tu veux être mon Edward, lui glissa-t-elle à l'oreille.

– Les vampires torturés, c'est pas trop mon genre, ni les loups-garous imberbes.

– Tu penses faire chavirer mon joli cœur tel un chevalier ?

– J'veux juste apprendre à te connaître. Je ne peux pas résister à une belle fille comme toi, lui répondit-il d'un sourire confiant.

Elle fit un clin d'œil et lui envoya un baiser soufflé. Francoeur vit le geste de Victoria et, alors qu'il voulut rejoindre Duclair, Loiselle l'envoya au centre du terrain pour le lancer de la pièce. Les Pékans gagnèrent le tirage au sort et l'entraîneur décida de différer. L'équipe adverse recevrait le ballon en début de partie et les Pékans débuteraient à l'attaque au troisième quart.

À quelques secondes du botté d'envoi, l'émotion était palpable sur le banc. Les joueurs voulaient entreprendre le match du bon pied. Le botteur, Marc-Stéphane Morin, se mit en position. Incapable de gérer sa nervosité, il vomissait pratiquement avant chaque partie dans le vestiaire. Surnommé l'échalote pour sa grandeur et sa minceur, il possédait toutefois une grande force de frappe. D'ailleurs, le ballon se retrouva loin dans la zone de Thetford. Le retourneur tenta de trouver une brèche en suivant le mur de protection constitué de trois de ses coéquipiers, mais William Rioux élimina rapidement la menace en le faisant exploser grâce à sa grande portée. Guillaume effectua ensuite le plaqué, arrêtant ainsi le jeu. Les essais suivants ne menèrent nulle part et la première possession du ballon des Éclairs se termina donc avec l'équipe locale, toujours dans son territoire. La nervosité du départ quitta rapidement les joueurs. Les jambes lourdes qui donnaient l'impression d'être engourdies retrouvèrent leur aplomb.

Alors que l'attaque des Pékans prenait le ballon, ce fut la consternation pour Zakary quand Loiselle décida de le laisser sur les lignes de côté. Il se contenait pour ne pas exploser de rage et exprimer son désaccord mais, après tout, ce n'était que le début de la partie. Pierre-Antoine lui lança un regard compatissant tandis que Francoeur jubilait de voir la recrue prendre son trou. Dans les estrades,

Cédrik huait la décision de Loiselle et scandait le plus fort possible : Duclair ! Duclair ! Duclair !

Bon prince, Zak encourageait ses coéquipiers. Les premières minutes donnèrent du jeu très physique de part et d'autre. Chacune des deux équipes concéda très peu de verges. Thetford réussit quelques premiers jeux au sol, mais rien de trop menaçant. Les Pékans tinrent le coup jusqu'au milieu du premier quart avant qu'une première bévue leur coûte des points. En situation de troisième essai et ayant quatre verges à faire, Francoeur, fidèle à ses habitudes, sortit trop rapidement de sa poche protectrice. Sentant une pression venir du côté droit de la ligne, il ne fut pas en mesure de voir le secondeur extérieur de Thetford qui arrivait à pleine vitesse. Le quart-arrière gardait les yeux rivés sur son receveur, Benjamin Pelletier. Il amorça donc sa passe en position vulnérable et il se fit plaquer solidement du côté de son angle mort. Le ballon lui échappa et fut ramassé par les Éclairs, à la grande satisfaction de leurs joueurs qui explosèrent de joie. Ébranlé par ce premier sac du quart, Francoeur sentit un léger malaise à l'épaule, mais il demeura dans la partie. De retour aux lignes de côté, il échangea quelques échauffourées verbales avec Duclair et le centre-arrière, Jérémie Maillé.

– Pourquoi t'es pas resté dans la poche ? Tu avais en masse de temps ! lui lança Maillé d'un ton enragé.

– Je n'avais pas d'options. Il fallait que je bouge.

– *Bullshit* ! Tu t'es mal positionné ! ajouta Duclair.

– Hey, *rookie* ! Commence donc par jouer avant de donner des leçons ! répliqua Francoeur, piqué à vif.

– Fermez-la et ressaisissez-vous ! Y a deux personnes qui peuvent vous juger icitte, Dieu pis moi ! *Let's go !* On reprend ça ! intervint Loiselle.

À la reprise, Pierre-Antoine cafouilla sur un jeu en ne réussissant pas à contenir son joueur. Son travail était pourtant simple : peu importe ce qui arrive, aucune course ne doit le déborder hors de l'aile. Une belle feinte du quart adverse l'avait attiré et il fut pris par surprise à contre-pied. À l'extérieur, il laissa filer le porteur de ballon jusqu'à la zone des Pékans. Touché ! Après la transformation réussie, le pointage était de sept à zéro pour Thetford. La confiance de Rimouski fut ébranlée, car dès le botté de reprise, leur adversaire causa un revirement payant. Le joueur des Éclairs s'empara du ballon échappé au sol par Doucet et il fila dans la zone des buts. Le pointage était subitement passé à quatorze-zéro en l'espace de quelques secondes. Pour terminer le premier quart, Maillé réussit un jeu le menant à la ligne de trente verges de Thetford. En position d'inscrire leurs premiers points, les Pékans ne réussirent pas à capitaliser. La frustration de Zak s'amplifia au fur et à mesure que ses coéquipiers rataient des jeux de base.

Le deuxième quart fut tout aussi brutal. Thetford augmenta son avance avec un touché par la passe de près de trente verges. Ils en ajoutèrent un deuxième grâce à un autre revirement coûteux causé par un ballon échappé par le demi-inséré,

Maxim King Roy, alors qu'il tombait au sol. Francoeur réussit néanmoins quelques belles passes, mais les Pékans n'arrivaient pas à enchaîner les jeux pour s'approcher du territoire des Éclairs.

À la mi-temps, les équipes regagnèrent les vestiaires. Les Pékans perdaient déjà vingt-huit à zéro. Toute une façon de commencer la saison !

Dans le vestiaire, Zak approcha l'entraîneur.

– *Coach* ? Je veux entrer dans la *game.*

– Pourquoi ? Tu crois être capable de faire la différence ?

– Oui. Pis, j'ai compris le message. L'équipe avant le joueur.

– Des histoires de filles, j'veux plus en avoir.

– Oui, *coach* !

Loiselle le fixa sérieusement, puis il laissa Duclair pour s'adresser aux autres joueurs.

– On lâche pas ! Pis P-A, quand t'as le *contain,* t'as le *contain* ! Y'a personne qui te déborde, c'est clair ? Francoeur ! Sois encore plus patient dans ta poche. *Come on* ! On dirait qu'on joue à demi-vitesse. Je veux de la vie *icitte* ! C'est pas fini : en deuxième demie, on se met en marche ! On commence avec le ballon, profitons-en pour réduire l'écart rapidement. Pis frappez ! Présentement, c'est eux qui donnent le ton. *Let's go* !

De retour sur le terrain, les joueurs tentaient de montrer plus d'entrain, mais c'était dur de se motiver à poursuivre la partie. Par contre, Zakary était heureux d'avoir enfin du temps de jeu et il espérait contaminer ses coéquipiers avec son enthousiasme.

Le retourneur des Pékans, Frédéric « Frodon » Doucet, fit tout un retour pour plus de cinquante verges. Plus petit joueur de l'équipe, il avait toujours un sourire au visage et, à chaque jeu, il donnait le maximum de lui-même. Encouragés par sa course, les Pékans poursuivirent leur poussée offensive. Après un autre long premier jeu de la passe captée par Pelletier, les Pékans pensaient finalement avoir trouvé une faille à exploiter. Confiants, ils voulurent en profiter à nouveau. Toutefois, les joueurs défensifs adverses avaient remarqué que les Pékans s'étaient alignés en même formation que le jeu précédent, et comme Rimouski avait eu très peu de succès en attaque au sol jusqu'à présent, ils devinèrent qu'ils reviendraient immédiatement avec le même jeu aérien. La couverture sur Pelletier fut intensifiée et le receveur ne parvint pas à capter le ballon.

Pour le deuxième jeu, Francoeur opta pour une courte passe au demi-inséré, Maxim Roy. Malheureusement, il ne put maîtriser le ballon. Il s'agissait d'une passe incomplète. Pour leur troisième tentative, la consigne fut lancée de donner le ballon à Duclair. Hésitant, il regarda Whittom qui hocha la tête.

– Rate-le pas, mon p'tit crisse, avertit Francoeur.

– Inquiète-toi pas. C'est pas mon genre de me mettre à terre avant d'avoir un joueur sur moi, répliqua Zak.

Comme convenu, Francoeur remit le ballon à Duclair qui partit sur la gauche. Il réussit à éviter le plaqué d'un secondeur et, en coupant vers le centre, il prit à contre-pied le demi de coin qui s'attendait à ce que Zak continue sa course vers lui. Il réussit à se rendre à une dizaine de verges de la zone des buts de Thetford. Les Pékans réussirent enfin un touché sur le jeu suivant alors que Pelletier attrapa le ballon sur un jeu de passe en croisé entre lui et Morin. Ce dernier avait fait du bon travail en attirant le regard des secondeurs de Thetford de son côté, laissant Pelletier seul. Une belle passe précise de Francoeur permit à Pelletier d'attraper le ballon en plein élan sans devoir ralentir. Il fila les dix verges le séparant de la zone des buts. Le pointage était maintenant de vingt-huit à sept. Dans les estrades, Cédrik et les autres partisans des Pékans jubilaient.

– Belle course, Duclair.

Zak se retourna. Le compliment venait de Francoeur.

– T'es mieux de courir de même chaque fois que tu vas t'approcher d'elle, menaça le quart-arrière avant de rejoindre Loiselle.

Fier, Zak était heureux d'avoir contribué aux premiers points de son équipe et il ignora l'attitude de Francoeur. Par contre, l'écart demeurait tout de même important. Thetford ne s'était d'ailleurs pas montré intimidé alors que l'équipe inscrivait un autre touché et un placement à la fin du troisième quart. Les Pékans tiraient de l'arrière trente-huit à sept. Impuissants, Loiselle et son équipe d'entraîneurs observaient les erreurs en défensive s'accumuler. Pourtant, ce n'était pas une question de poids ou de taille, mais plutôt d'exécution. Les gars avaient abandonné et les punitions successives leur coûtaient cher. À l'offensive, les joueurs réussissaient quelques premiers jeux ici et là, mais la finition n'y était pas.

La débandade se poursuivit au quatrième quart. Les deux équipes s'échangèrent des placements de trois points et Thetford réussit un dernier touché sur une interception. La marque finale : quarante-huit à dix ! Un massacre !

Dans le vestiaire, Zak était déçu de voir ses coéquipiers accepter la défaite aussi facilement. La plupart des joueurs se changeaient, sourire au visage et insultes usuelles à la bouche, avec une fatalité, comme s'ils ne méritaient pas un meilleur sort.

Pourtant, Loiselle était convaincu que son équipe pouvait rivaliser. Il devait réussir à unifier ses joueurs et leur faire comprendre l'esprit d'une vraie équipe. Les joueurs qui continuaient à ce niveau étaient souvent les meilleurs au secondaire. Électrons libres, ils souffraient parfois de moins d'encadrement pour permettre aux équipes de gagner. Loiselle le savait. Il était passé par là. Il avait déjà été une vedette autrefois...

Chapitre 4

Ce fut un véritable cauchemar ! Tant la débandade de la veille que la nuit perturbée qu'avait connue Zakary. Il revoyait sans cesse dans son sommeil les jeux ratés de la partie. Il avait eu honte d'amorcer la saison avec une telle atrocité. Au mieux, il pouvait se consoler de sa bonne prestation malgré son temps de jeu limité. Toutefois, se pavaner n'était pas dans sa nature. Son corps était couvert d'ecchymoses et il sentait toujours quelques courbatures quand il se réveilla. Se faire frapper par un joueur adverse s'avérait d'ailleurs plus douloureux que les contacts lors des entraînements !

Zak s'assit péniblement sur son lit. Cédrik était déjà levé. Il jouait à l'un de ces insipides jeux auxquels on devient rapidement accro sur son cellulaire. Il mangeait des céréales beaucoup trop sucrées dans du lait au chocolat.

– T'exagères pas un peu avec tes bols de céréales ?

– Relaxe ! On dirait ma mère ! J'ai pas à courir pis faire des entraînements, moi !

– Tu devrais peut-être ! Pour ta santé !

– Je les aime, mes bourrelets.

– Et elle ?

– Elle ne semble pas s'en plaindre. Elle m'a donné rendez-vous samedi soir. Tu viens au *show* ? Elle fait partie du groupe qui sera en concert.

– Si je viens, j'peux pas me geler. C'est clair ?

– On peut plus avoir du plaisir de nos jours.

– Promis ?

– Juré. Pourquoi t'invites pas ta *cheerleader* ?

– On verra. En passant, c'est quoi le *buzz* sur les réseaux sociaux à propos de la partie d'hier ?

– Pas grand monde s'attendait à un autre résultat ! C'était plus une question de savoir quelle serait la différence de pointage...

– Pis sur notre jeu en général ?

– Tu reçois quelques éloges... profites-en ! Sinon, Beaulieu s'en prend encore à Francoeur en le comparant à une poule pas de tête sur le terrain, s'esclaffa Cédrik.

– Qu'est-ce qui se passe entre eux ?

– Rimouski, c'est pas comme Laval. Les gens se connaissent pas mal tous. Leur conflit remonte à loin. Du genre que les frères de Francoeur étaient durs avec ceux de Beaulieu. Maintenant, il a une tribune pour prendre sa revanche. C'est le cycle de la vie des petites villes !

– Le pire, c'est que Beaulieu a raison.

– À ta place, j'éviterais de lui dire et, surtout, je ne contrarierais pas Francoeur pendant vos entraînements !

***

Une pluie fine s'abattait sur la ville en cette fin d'après-midi. En l'espace d'une semaine, la chaleur estivale s'était éclipsée pour faire place au temps frais de l'automne qui commençait à s'installer. Les conditions climatiques deviendraient plus problématiques, surtout avec les légendaires vents du Bas-du-Fleuve. Mais Loiselle ne semblait pas impressionné par la température. Il avait réuni son équipe en uniforme, crampons en moins, sur le terrain.

– Vous avez manqué de jus en fin de partie. Il faut croire que votre forme physique n'était pas encore au point. Ce soir, vous allez courir. On va le développer, ce cardio-là ! Jogging de dix kilomètres. Gauthier ! Prends le parcours de la promenade du fleuve. On va montrer aux citoyens vos efforts.

Incrédules, les joueurs se mirent derrière le vétéran centre. Pierre-Antoine se retourna craintivement vers son ami.

– Je n'y arriverai pas, Zak. J'suis pas capable de courir une aussi longue distance, lui dit-il, découragé.

– J'vais t'aider ! On va s'encourager ! Lâche pas…

– Panda ? Penses-tu réussir ou bien ton cœur va crever à mi-chemin ? cria Loiselle.

– J'vais réussir… *coach,* répliqua P-A.

– Alors, arrêtez de *bitcher* comme des filles d'*Occupation double* puis bougez-vous le derrière.

Francoeur lança un regard défiant vers Zak, mais celui-ci préféra plutôt l'ignorer. Il se rangea auprès de Pierre-Antoine qui suivait difficilement le groupe. Il s'arrêtait tous les cent mètres pour reprendre son souffle. Alors qu'il aurait très bien pu rejoindre les premiers du peloton, Zak tenait sa promesse. Il restait auprès de son ami, l'encourageant à continuer même s'il subissait les railleries de son entraîneur.

– Panda ? Lâche ton gardien, Panda ! On n'est pas au zoo ! lui envoya Loiselle pendant qu'il ralentissait sa cadence pour les rejoindre à la queue.

– On lâche pas ! On est une équipe, toi et moi ! Un pas à la fois, lui répéta Zak.

Heureusement, la majeure partie du parcours se trouvait sur un terrain plat. Les joueurs se faisaient encourager par quelques klaxons ici et là, ou encore par les applaudissements des gens qu'ils croisaient sur leur parcours. Loiselle leur rappelait qu'ils devaient montrer du respect autant envers eux qu'à leur uniforme. L'exigeant entraîneur remarqua que Whittom manquait à l'appel. Loiselle se dirigea vers l'arrière et l'aperçut sortir d'un buisson.

– Whittom ?

– J'avais envie, *coach* !

– La prochaine fois, tu pisseras dans tes culottes ! Compris ?

– Oui, *coach* !

– Allez ! Remonte la cadence ! Tu ne veux pas finir derrière Panda, non ?

L'ailier défensif grassouillet tenait bon malgré tout ! Par contre, le dernier kilomètre s'avérait plus exigeant parce qu'il s'agissait d'une montée.

Certains joueurs, comme Doucet – une véritable bombe –, se tenaient déjà devant l'entrée du stade. Francoeur et sa bande étaient également du lot, soulagés d'avoir enfin terminé. Les derniers du groupe, et plus gros joueurs comme Whittom, pointaient le bout de leur nez, le corps complètement vidé ! Ils réussirent de peine et misère à rejoindre leurs coéquipiers. Puis, bons derniers, P-A et Zak arrivaient enfin sous les cris de Loiselle.

– Allez ! C'est pas vrai que tu vas me lâcher, Panda ! Pas maintenant ! Je ne veux pas de lâcheurs dans mon équipe ! Montre-moi ce que tu as dans le ventre, à part cette grosse graisse-là ! Pousse ton corps !

À bout de souffle, P-A n'eut d'autre choix que de se laisser choir au sol. Zak le releva et mit son bras par-dessus son épaule. Péniblement, il avança avec le poids additionnel de P-A.

– On va finir ça ensemble. Pas question que tu arrêtes ici.

– Duclair ! Laisse-le finir par lui-même !

– Nous sommes une équipe, *coach*. Je ne laisse pas échouer un de mes coéquipiers.

Touché par le geste de Duclair, Jérémie Maillé alla les rejoindre et passa l'autre bras de P-A sur son épaule en guise de solidarité. Zak et lui échangèrent un regard complice. La montée se fit plus rapidement. D'autres joueurs s'approchèrent pour prendre la relève, comme le bloqueur Danick Gauthier et le receveur Benjamin Pelletier. Les *cheerleaders*, qui répétaient dans le stade, furent témoins de la scène. Elles s'avancèrent avec leurs pompons, encourageant ainsi Pierre-Antoine. Même les frères Rioux le portèrent pour les derniers mètres, au grand mécontentement de Francoeur qui les fusillait du regard.

– C'est quoi ton problème, Duclair ? Pourquoi as-tu besoin de toute cette attention ? Papa préférait passer du temps avec sa maîtresse que te voir jouer ?

– Ta grande gueule, c'est pour compenser tes petites couilles ? C'est pour ça que Victoria t'a plaqué ?

Whittom empêcha Francoeur de commettre une folie en empoignant le bras du quart-arrière. Ils quittèrent Zak alors que Victoria s'approchait.

– Bravo, monsieur solidarité ! Toujours prêt à défendre la veuve et l'orphelin !

– Le gros joueur de foot et la séduisante *cheerleader* également !

– Le méchant *QB* ne t'a pas trop perturbé ?

– Rien qui peut me déranger. Tu es libre samedi soir ?

– Marque un touché et on verra..., lui répondit-elle d'un air taquin en quittant le terrain.

– Duclair ! Puis-je avoir ton attention ? demanda Loiselle.

La recrue se tourna vers son entraîneur qui s'adressait aux joueurs.

– Demain, on va regarder un film d'horreur. Je ne parle pas de *Jason* ou *Freddy,* mais de votre pitoyable prestation. On va décortiquer tout ça ensemble. Ce n'est que le premier match. J'ai confiance en vous et en cette équipe. On va revenir en force. C'est tout pour aujourd'hui. Aux douches !

Au moment où les joueurs passaient devant lui pour rejoindre les vestiaires, il intercepta Zak.

– Peut-être que tout n'est pas perdu. Ça prenait beaucoup de *guts* pour ce que tu as fait, Duclair. J'veux que tu t'occupes de Panda pis amène ta *drive* à la prochaine *game*. On va en avoir besoin.

– Merci *coach*, répondit fièrement Zak.

***

La semaine avait été longue : cours, études, séances vidéo et entraînements. Zak avait l'impression de vivre le jour de la marmotte ! Inscrit à la technique Gestion de commerce pour plaire à sa mère –, il lui fallait un domaine d'études –, il se questionnait sur son propre intérêt à poursuivre ce programme. Après tout, il y avait plein d'histoires à succès récentes sur des jeunes qui démarraient des sites Internet ou des applications qui enflammaient Wall Street. Zak en rêvait. Il croyait à la technologie. Un commerce à l'ancienne, ce n'était pas pour lui. Non merci ! Son professeur d'introduction au marketing, Alain Méthot, semblait provenir d'une autre époque.

– Le marketing sert à ? À ? Quelqu'un ?

La classe demeurait silencieuse.

– À séduire les clients. Les clients. Dans quel but ? Le but ?

Zak, qui faisait partie de l'auditoire, attendait patiemment que la cloche sonne. Quelle torture, cette fin de journée ! Surtout qu'il devait remplir son service communautaire en soirée.

– Les fidéliser tout en réalisant le meilleur ? Oui ? Le meilleur bénéfice.

Ça ne pouvait être pire, comme supplice.

Chapitre 5

L'immeuble ressemblait à un vieux manoir. Rien de sinistre par contre. Il était entouré de vieux arbres qui donnaient de l'ombre à ceux qui se promenaient dans cette verdure omniprésente. C'était littéralement un havre de paix pour les mourants. Malgré la beauté de l'endroit, Zakary éprouvait une certaine nervosité à pénétrer à l'intérieur. C'était la sanction que son directeur avait choisie. Il devait rejoindre une étudiante qui venait régulièrement faire du bénévolat dans cette maison de soins palliatifs. Un soir par semaine, et ce, pour le prochain mois, Zak devait s'entretenir avec des personnes en phases terminales pour leur changer les idées.

La grande porte dorée s'ouvrit. Un préposé aux bénéficiaires se tenait devant lui. L'homme, dans la fin de la trentaine, montrait des signes d'une vie plutôt difficile et mouvementée. Ses énormes biceps étaient ornés de tatouages exotiques qui se mariaient bien avec la cicatrice qui traversait le bas de son visage. Pendant un court moment, Zak se demanda s'il était à la bonne adresse.

– Oui ? Qu'est-ce que je peux faire pour vous ? demanda sèchement le mastodonte.

– Euh… Je viens rencontrer une… Marjorie Lacroix.

– La p'tite ? Suis-moi, lui dit-il d'un ton plus amical.

Zak entra dans la maison avec une certaine appréhension. Pourtant, la décoration intérieure était sobre et plutôt jolie. Les résidents qu'il croisait le regardaient avec une certaine pudeur, incertains de la raison de sa présence. Quelques-uns lui souriaient poliment. Heureusement, cet endroit n'avait rien de lourd et lugubre comme certains centres hospitaliers. Il se souviendrait toujours des derniers moments de son grand-père, Réal, cloîtré dans cette petite pièce funeste partagée avec d'autres personnes malades. Il ne lui fut procuré aucune dignité dans la mort. À dix ans, il avait reçu une marque impérissable de ces images.

Le colosse semblait très apprécié. Plusieurs le saluaient et, de temps à autre, il prenait même le temps d'offrir un câlin à certaines patientes. Il envoyait un franc sourire à chacun des employés qu'il croisait. Après quelques minutes qui lui avaient semblé durer une éternité, Zak arriva finalement dans un petit salon. La pièce ronde était très lumineuse. Il y avait de nombreuses vitres qui permettaient aux résidents de voir les jardins fleuris à l'extérieur. Ils devaient être une dizaine tout au plus. Autant de femmes que d'hommes, de la soixantaine à un âge plus avancé. Marjorie était assise sur une chaise et faisait la lecture à une femme ridée et grisonnante. Rien de trop intellectuel : un magazine de potins américains. Elle commentait les photos d'un ton très caustique, ce qui faisait bien rire la dame. Zak avait reconnu cette jolie fille rousse au teint pâle. Avec son sourire espiègle et ses yeux verts électrisants, elle rayonnait de bonheur. Elle s'avança vers lui.

– J'espère que tu ne me feras pas tomber de nouveau ?

– Désolé pour ça. J'étais plutôt nerveux à cause de mon retard.

– Pas la deuxième fois !

– La deuxième ?

– Je dirais que c'est plutôt une belle blonde qui retenait ton attention, dit-elle d'un ton amusé.

Intrigué, Zakary ne savait plus quoi lui répondre. Puis, il fit le lien.

– Non ! La mascotte ?

– Eh oui ! C'est ma troisième année. J'ai commencé en quatrième secondaire. Heureuse de faire officiellement ta connaissance, Zakary.

– Zak. Mes amis m'appellent Zak, dit-il, médusé.

– Très bien… Zak, répondit-elle en souriant.

– C'est la première fois que je rencontre une fille qui…

– Qui fait la folle ?

– Est-ce difficile ?

– Pas vraiment. Peu de gens savent que c'est moi. Heureusement, ça évite les mains baladeuses ! Je fais de l'impro depuis plusieurs années. J'aime bien avoir les regards sur moi ! Et toi ? Le football ?

– Depuis ma première année au secondaire. J'aimais beaucoup bouger en classe. Un professeur m'a suggéré le foot. Depuis, je suis accro.

– Passer de Laval à Rimouski ne t'a pas fait suer ? Et quitter tes parents ?

– Non. Alors ? Quel est le plan de match ? demanda-t-il, pour détourner la question.

Marjorie sentit qu'elle abordait un sujet sensible et elle décida de ne pas insister.

– Ouh, monsieur fait de l'humour ! Que t'a dit mon père ?

– Euh...

– Le directeur, c'est mon père. Je pensais que tu étais au courant.

– Non. Ouf ! Une chance que je n'ai pas dit d'insultes à son sujet !

– T'inquiète ! Être fille d'un directeur d'école aide à former une méchante carapace ! Je l'ai eu comme prof en première année du secondaire avant sa mutation.

– Il n'est pas trop sévère à la maison ?

– Non ! Au contraire ! J'ai toujours été sa petite princesse !

– En fait, il m'a dit qu'il m'envoyait ici pour m'occuper un peu des gens.

– La chose la plus importante est de les écouter. La plupart demandent juste ça, une oreille attentive. Ils ne cherchent pas la pitié ni la charité. Ils ont besoin de s'exprimer, de raconter...

– D'accord. Alors, je commence par qui ?

– Raymond. Tu vois le monsieur dans le fauteuil, au fond ? J'pense que tu vas le trouver intéressant.

– Très bien. Je lui donne combien de temps ?

– Autant que tu le désires. Il n'y a pas de règles. Nous sommes ici pour nous intéresser à eux.

Zak hocha timidement la tête et se dirigea nerveusement vers le vieillard emmitouflé dans une veste en polar bleu marine.

– S'cusez ? Je peux m'asseoir ? demanda poliment Zakary.

L'homme se retourna lentement la tête et il acquiesça à la requête.

– V'là mon joueur de football ! On m'avait dit que j'aurais de la visite ce soir.

– Effectivement. Je... Je suis ici pour vous, répondit Zak.

– Comme ça, *toé* c'est le foot ? C'est bien ça. C'est important de bouger !

– Vous ? Vous pratiquez un sport ?

Le monsieur se mit à rire chaudement.

– Non, non. Plus aujourd'hui ! J'ai pu de force ! Mon maudit cancer m'a tout enlevé... Et laisse faire le vous. Ça, c'était pour mon père, dit-il en souriant. Mon nom est Raymond Savard. *Moé*, c'est le hockey qui me passionne.

– Avez-vous déjà joué ?

– Ben sûr ! J'ai même joué pour Boston pendant quelques saisons. Avant que la maudite boisson foute tout en l'air ! Ça, mon garçon, c'est la pire chose qui me soit arrivée. J'ai gâché ma vie...

– Vous avez joué dans la Ligue nationale ?

– Pas assez longtemps, malheureusement. Par contre, j'ai eu l'occasion de donner une volée à Gordie Howe ! J'suis certain qu'il doit s'en souvenir encore !

Zak écouta attentivement les histoires de Raymond. Il avait l'impression de se retrouver sur les genoux de son grand-père qui lui racontait des souvenirs de jeunesse. Au loin, Marjorie regardait Zak de temps à autre, heureuse de voir comme il s'acclimatait bien à ce nouvel environnement.

***

Sur les réseaux sociaux, Beaulieu avait écrit que les Pékans ne tiendraient pas le coup contre leur prochain adversaire et, en exclusivité, il prévoyait qu'au moins un joueur allait inscrire un touché : ce serait avec une meneuse de claques. Zak était furieux et décida d'aller déverser son fiel sur l'apprenti journaliste qui travaillait dans un club vidéo.

– C'est quoi cet article pourri, là ? Tu aimes foutre le trouble, c'est ça ? Pourquoi ne pas écrire quelque chose de positif pour donner le goût aux gens de venir voir les parties ?

– J'écris ce que je vois. Mes lecteurs aiment que je leur parle de ce qui se passe sur le terrain, dans les vestiaires et en dehors ! Tu sais aussi bien que moi que vous êtes pitoyables ! Explique-moi comment un gars comme Panda peut faire partie de l'équipe sans jamais avoir joué au football.

– C'est la décision de l'entraîneur.

– Justement, parlons-en, de ton *coach*.

– Il a payé suffisamment pour ce qu'il a fait. Il veut juste une deuxième chance. Comme bien du monde.

– Bouhouhou. Le grand cœur de Zak, dit Beaulieu en montant le ton.

Un malaise s'installa parmi la clientèle du magasin qui devenait témoin de leur échange musclé.

– À la longue, tes torchons pourront détruire des vies. On est juste des jeunes qui veulent jouer au football et gagner. Qu'est-ce qu'il y a de mal à ça ? Si tu as des comptes personnels à régler avec Francoeur, fais-le en privé. Traîne-nous pas dans la boue, OK ?

Bouche bée, Beaulieu détourna le regard et se dirigea vers les rayons, prétendant devoir exécuter une tâche.

– Ah ! Merci aussi pour ta suggestion, *Mon joli hermaphrodite* ! lança Duclair à haute voix en quittant le commerce. T'avais raison, c'était vraiment tordu !

Gêné, Beaulieu évita les regards curieux des clients pour se réfugier dans la salle des employés.

Chapitre 6

Les Pékans se dirigeaient vers La Pocatière, une petite ville plus à l'ouest, à peu près à mi-chemin entre Rimouski et Québec. Il existait une grande rivalité entre eux et les Riverains. L'affrontement de cet après-midi ne serait pas de tout repos. Selon la nouvelle consigne établie par l'entraîneur, les joueurs voyageraient ensemble, en autobus. Loiselle croyait fortement aux bienfaits des voyages en équipe pour unir les joueurs. Le rendez-vous fut donc donné à 8 h 30 dans le stationnement du cégep. Les parents et les amis qui désiraient assister à la partie devaient s'y rendre par leurs propres moyens. Un deuxième autobus était réservé pour les meneuses de claques et le personnel de soutien de l'équipe.

Zakary fut étonné de monter à bord d'un autobus voyageur. C'était tout un changement par rapport aux inconfortables autobus scolaires du secondaire ! Il s'assit avec Pierre-Antoine vers l'arrière du véhicule. Hiérarchie oblige, les entraîneurs occupaient la partie avant. Les recrues suivaient et les vétérans s'accommodaient, de l'arrière. L'atmosphère était plutôt calme vu l'heure matinale.

Comme la plupart de ses coéquipiers, Zak écoutait de la musique à partir de son téléphone intelligent. P-A et les moins matinaux en profitaient pour se rendormir. D'autres étudiaient le cahier de jeux et subissaient les railleries de Francoeur et de sa bande. Quant aux jumeaux Rioux, ils se partageaient une boîte de douze beignes en guise de déjeuner. Finalement, Marc-Stéphane Morin, fidèle à ses habitudes, passa la majorité du trajet dans la toilette restreinte de l'autobus.

La semaine avait été ardue et les joueurs avaient hâte de retourner sur le terrain pour prouver à Loiselle qu'ils pouvaient obtenir un meilleur résultat qu'à leur dernière partie. Zak était fébrile de revoir un ami et ancien coéquipier du secondaire, le bloqueur Keven Dumas. Surtout, il espérait faire mentir cette crapule de Beaulieu.

Après un léger échauffement et l'usuel discours d'avant-match de Loiselle, les Pékans se retrouvèrent sur le terrain. L'équipe adverse arriva quelques instants plus tard sous la clameur d'un stade presque rempli. La foule était bruyante et encourageait chaleureusement son équipe qui tentait de venger leur défaite crève-cœur de la semaine précédente contre les champions en titre, les Aigles de Trois-Rivières.

Avant même que ne débute la partie, les joueurs des Pékans se faisaient narguer et insulter par les partisans massés derrière eux. Cette section, baptisée « super fans », était pipée. Elle était consacrée aux admirateurs les plus bruyants – souvent des amis des joueurs ou des étudiants forts en gueule

– pour qu'ils dérangent l'équipe adverse avec leur tintamarre. Pour les recrues, cette atmosphère pouvait être intimidante, mais Francoeur, telle une vedette, carburait à cette énergie. Les jumeaux Rioux répondaient déjà aux attaques verbales en y allant de séries de jurons bien corsés. Zak avait le sourire fendu jusqu'aux oreilles et se nourrissait de cette tension. Au loin, il aperçut Keven et tous deux hochèrent la tête en guise de salutations. Maxim Roy prit la parole :

– Les gars, aujourd'hui, c'est la guerre ! Pis on ne prend pas de prisonniers ! On leur rentre dedans et on leur fait mal ! dit-il d'un ton survolté.

Les joueurs se réunirent en cercle et lancèrent un cri de ralliement sous les huées des spectateurs près d'eux. La Pocatière gagna le tirage au sort et la décision fut de donner le ton au match en permettant à leur défense physique de s'imposer. Frodon Doucet attrapa le botté profondément dans le territoire des Pékans. Il partit de la ligne de trois verges puis réussit à remonter jusqu'à la dix-septième avant de se faire faucher dans les jambes. Une belle course de près de quinze verges. La tension sur le terrain était palpable, à l'image de la rivalité entre les deux équipes. Les joueurs se permettaient de se cogner un peu plus, une fois le jeu arrêté, et les insultes pleuvaient des deux côtés. Maxim, le demi-inséré et maraudeur, s'en donnait à cœur joie. Son surnom de *King* prenait tout son sens dans ce genre de rencontres. Il était en effet le roi des insultes. Avant chaque partie, il allait faire un survol des pages Facebook de ses adversaires qu'il utilisait ensuite contre eux. Ainsi, dès qu'il le pouvait, il les narguait avec des paroles insultantes. Les Riverains ne se laissaient pas impressionner par ces joutes verbales, alors ils y allaient de leurs propres répliques. Les joueurs de la ligne offensive-défensive se plaisaient même à faire des sons d'animaux de la ferme pour déstabiliser les frères Rioux, eux qui venaient de la campagne.

Après quelques tentatives infructueuses de part et d'autre pour marquer des points, les Pékans recouvrèrent le ballon grâce à une interception de Maxim Roy qui connaissait un bon début de rencontre. Loiselle appela un jeu au sol. Francoeur remit le ballon à Zak qui attaqua le coin de la ligne droite. La ligne défensive de La Pocatière était fin prête et son immense ailier défensif projeta Zak au sol à la ligne de mêlée.

– Le match va être long, les *boys* ! Vous êtes au mauvais endroit au mauvais moment aujourd'hui ! lança-t-il au numéro 22 tandis qu'il se relevait.

Les Pékans reprirent le ballon pour leur deuxième essai avec encore dix verges à franchir. La consigne était de poursuivre avec une petite passe vers le demi-inséré. Après trois pas à reculons, Francoeur tenta de rejoindre sa cible, Maxim. Le même grand ailier avait bien lu ce jeu et il sauta en levant les bras le plus haut possible, rabattant ainsi la passe du quart-arrière au sol. Aucun gain sur le jeu.

Dernière chance des Pékans sur cette lancée offensive. Loiselle décida d'y aller avec une passe écran vers la gauche, un jeu plus audacieux pour tenter de déjouer son adversaire. Il s'agissait de lancer le ballon à Zak du côté opposé de leur vedette défensive qui, pour l'instant, s'amusait à faire mal voir l'attaque de Rimouski. L'arbitre posa le ballon au sol. Le centre, Vincent Robitaille, mit ses mains dessus en attendant le signal de son quart-arrière pour la remise. Francoeur regarda une dernière fois ses coéquipiers qui se trouvaient en formation balancée : soit deux porteurs de ballons et deux receveurs de chaque côté. À la dernière seconde, le grand blond fit signe au demi-inséré de gauche, Marc-Stéphane Morin, de se déplacer en motion pour aller rejoindre les deux autres receveurs de droite. Son couvreur ne le suivit pas, Steven savait maintenant que La Pocatière optait pour une défensive de zone et non d'homme à homme. « *Set Hut!* » cria le quart-arrière, et rapidement les receveurs de droite pénétrèrent profondément dans la zone des Riverains en espérant attirer vers eux le plus de joueurs adverses possible. Quant à la ligne offensive, ils jouèrent bien la comédie en prétendant se faire complètement surprendre par la défensive qui se rua vers Francoeur, ce qui lui fit perdre beaucoup de terrain. Par contre, il resta calme et concentré puis, au bon moment, il décocha une petite passe légère vers Zak qui était resté discrètement en retrait vers la gauche. Aussitôt le ballon capté, il partit à toute vitesse. Le receveur éloigné, Alex Dufresne, effectua un beau bloc en croisé, mettant ainsi fin à la menace du secondeur extérieur de La Pocatière qui s'approchait de Duclair. Le centre-arrière des Pékans, Jérémie Maillé, ouvrit le chemin à Zak en explosant le demi de coin adverse qui ne l'avait jamais vu arriver. Zak franchit les dix verges pour gagner le premier jeu. Il se retrouva en face du demi-défensif qui était rapidement revenu dans sa zone. Il frappa Zak dans les jambes, mais le robuste porteur tournoya sur lui-même et réussit à se défaire courageusement du plaqué en gagnant cinq verges de plus pour une course impressionnante de vingt verges. Les Pékans étaient maintenant bien installés dans la zone de La Pocatière.

Jusqu'ici, Francoeur connaissait un excellent départ, mais dès qu'il affichait une trop grande confiance, son jeu en souffrait. Il cherchait parfois à trop démontrer ses habiletés, ce qui lui causait des problèmes. Alors que son équipe pouvait prendre l'avance, le quart-arrière se mit à courir, croyant voir une brèche devant lui. Malheureusement, il fut plaqué au sol par Keven Dumas et le ballon lui glissa des mains au profit des Riverains qui amorceraient le deuxième quart à l'attaque. De retour sur les lignes de touche, le coordinateur à l'attaque s'entretenait avec son protégé, tandis que Zak et Jérémie bouillaient de colère. Malgré tout, Loiselle était satisfait de la prestation de son équipe durant ce premier quart.

À la reprise du jeu, La Pocatière débuta en force et les joueurs enchaînèrent une série de courses qui les mena dans le territoire de Rimouski. Puis les Pékans se firent surprendre par une longue passe qui fut captée pour un touché. Maxim, trop agressif, s'était fait déjouer par le demi-inséré adverse qui s'était faufilé profondément derrière. On en était donc à sept à zéro. Quelques instants plus tard, les Riverains marquèrent un deuxième touché grâce à leur redoutable jeu au sol. Rimouski tirait maintenant de l'arrière par quatorze points.

La réplique des Pékans eut lieu dans les derniers instants de la première demie. Après quelques courses spectaculaires de Zak et un long attrapé de Pelletier, Rimouski se retrouva à la ligne de quinze verges des Riverains. Ils ne devaient pas rater cette occasion en or pour s'inscrire au pointage. La pression était forte sur Francoeur, mais il réussit à procurer quelques secondes de plus à son receveur pour qu'il se défasse de son couvreur et enfin capter habilement la passe de son quart-arrière en gardant ses deux pieds dans la zone de buts. Touché ! Après la transformation, les Pékans comptaient maintenant sept points à leur fiche.

Par contre, les Riverains reprirent le ballon et réussirent une dernière poussée pour inscrire trois points supplémentaires en y allant d'un botté. Les Pékans regagnèrent donc leur vestiaire avec un retard de dix points. Loiselle tentait d'encourager son équipe :

– Bonne *game,* les *boys* ! On est passés au travers de la tempête sans trop de dommages. Continuez à bien faire ce qu'on fait, à exécuter vos responsabilités, un jeu à la fois. On garde ça simple. Ils sont bien rodés de l'autre bord, mais on est là nous autres aussi ! Allez rejoindre vos *coachs* d'unités pour les ajustements.

Malgré l'optimisme des entraîneurs des Pékans, les Riverains frappèrent dès le botté de reprise. Les unités spéciales de La Pocatière étaient très performantes. Leur rapide retourneur profita d'une petite brèche laissée ouverte sur le flanc gauche pour remonter jusqu'à la zone des buts afin de porter le pointage vingt-quatre à sept pour l'équipe locale, au plus grand plaisir de la foule qui s'en donnait à cœur joie. D'ailleurs, les esprits s'échauffaient derrière les Pékans et les partisans se montraient de plus en plus hostiles envers les visiteurs.

Le restant du troisième quart fut axé sur la défensive. Les deux équipes se battaient pour obtenir le moindre espace sur le terrain. Zak était la cible à abattre et Keven eut même la chance de projeter son ancien coéquipier au sol, avec grande satisfaction.

– Tu devrais lâcher le *foot* ! T'as plus d'avenir comme danseur dans des clubs !

– Pis manquer la chance de me faire insulter par des caves comme toi !

– La prochaine fois, tu ne te relèveras pas, menaça Dumas.

Les Pékans profitèrent d'une rare bévue de leurs adversaires pour s'installer dans la zone des Riverains. Maxim venait de réparer son erreur en captant une courte passe de cinq verges. Il brisa ensuite quelques plaqués et fila à vive allure tout près de la ligne des buts. Après trois tentatives infructueuses de marquer un touché, Morin n'eut aucune difficulté à procurer trois points à son équipe avec son botté de précision. Les Pékans ne tiraient de l'arrière que par deux touchés.

Même si Loiselle demeurait positif, il savait que la tâche serait ardue avec quinze minutes restant à la partie. Il fallait que les Riverains s'écroulent, ce qui ne risquait pas de se produire. Bien au contraire, la formation de La Pocatière continuait à exercer beaucoup de pression sur Rimouski qui se faisait menacer dans sa zone. Les Riverains gagnaient constamment les premiers jeux au sol, ce qui leur permit de faire un touché, portant le pointage à trente et un contre dix. Avec quelques minutes au cadran, c'en était fini des Pékans. Toutefois, les joueurs continuaient à se motiver mutuellement.

Alors que Francoeur devait atteindre un des receveur, tous bien couverts par la défensive adverse, il n'eut d'autre choix que d'improviser. Il esquiva un plaqueur adverse et, du coin de l'œil, il aperçut Zak qui, s'étant faufilé sur une dizaine de verges derrière la défensive, capta une superbe passe de son quart-arrière et fonça dans la zone des buts. Fier, Zak osa faire quelques pas de danse pour montrer sa joie d'avoir effectué son premier touché dans le circuit collégial.

– Tu me dois une *date*, maintenant, lâcha-t-il à Victoria lorsqu'il regagna le banc.

Les Riverains terminèrent le match sans bavure, écoulant le temps avec la constance d'un métronome. Quelques partisans derrière les Pékans s'enflammèrent un peu trop et l'un d'eux envoya son sac de popcorn sur Danick Gauthier qui se retourna pour injurier le coupable, mais ce dernier invita plutôt le colosse à venir se battre. Son voisin aspergea le bloqueur d'une boisson gazeuse, le mettant encore plus en colère. Il se précipita dans l'estrade et échangea quelques coups avec ses agresseurs. Les jumeaux Rioux et Maxim se joignirent à la mêlée qui dégénérait.

Les arbitres renvoyèrent les Riverains à leur vestiaire pour ne pas envenimer la situation, puis essayèrent de séparer les belligérants avec l'aide des entraîneurs des Pékans qui tentaient de maîtriser leurs joueurs. Même les meneuses de claques se mirent de la partie alors qu'une rivale des Riverains insulta Victoria Turmel en lui glissant à l'oreille :

– Et puis ? Lequel te tapes-tu ce mois-ci ? J'espère qu'il se protège, au moins !

Turmel répliqua en la giflant. Sa rivale lui empoigna les cheveux et la bagarre éclata. Leurs coéquipières durent intervenir et réussirent de peine et misère à les séparer. Zak s'approcha de Victoria, mais celle-ci le repoussa et continua son chemin vers son local sous l'œil de Marjorie, encore habillée en mascotte.

– Toi, ça va au moins ? lui demanda Zak.

– Oui, oui. Ce n'est pas ma première mêlée. Ne t'en fais pas. Elle va s'en remettre. Victoria a tout un caractère. J'pense que t'es mieux de rejoindre ta gang. Bravo pour ton beau touché.

Les joueurs des Pékans regagnèrent également leur vestiaire sous les engueulades de leurs entraîneurs, furieux de la situation. Les Pékans cherchaient à partir rapidement.

Alors que les joueurs montaient dans l'autobus, Keven se dirigea vers Zak.

– Bonne *game, man* ! Tu devrais venir avec nous. J'suis certain que notre *coach* te prendrait ! Tu as trop de talent pour jouer avec ces bouffons-là !

– J'vais tenter ma chance ici. La prochaine fois, on va vous planter.

– Tu es humoriste, aussi ? Je ne me retiendrai pas quand je te mettrai au sol.

– Qui cherche à faire rire qui, maintenant ?

– Allez, prends soin de toi.

– Bonne saison, Kev.

Le retour vers Rimouski se fit dans le silence total. Le geste de Gauthier allait sûrement lui coûter une partie de suspension en plus d'une amende pour les Pékans. Bien que l'équipe ait offert une performance plus intense que la semaine dernière, beaucoup d'ajustements devaient être faits. Avec une fiche de deux défaites, il fallait absolument que les Pékans remportent une victoire, ne serait-ce que pour leur moral.

CHAPITRE 7

Zak s'intégrait tranquillement à sa région d'adoption. Il trouvait spectaculaire la vue que lui offraient les montagnes du Bic, ces rochers géants qui découpaient le merveilleux paysage du fleuve. Quant à la plage de Sainte-Luce, elle offrait un accès intime au majestueux cours d'eau lors des marées basses. Il adorait également se balader sur la promenade, une piste cyclable qui longeait pendant quelques kilomètres le Saint-Laurent. Cette ville ancrée dans la nature était complètement différente de l'étendue étouffante des bungalows et des centres commerciaux de Laval. Il se plaisait de plus en plus dans ce petit havre de paix.

Lors des fins de semaine ensoleillées, le parc Beauséjour était envahi par les adolescents. Ce grand espace vert au cœur de la ville était un endroit idéal pour faire des pique-niques, du vélo, du patin à roulettes, s'échanger un *frisbee* ou tout simplement lire un bouquin sur un banc ou contre un arbre. Il longeait une petite partie du Saint-Laurent qui venait se jeter à l'intérieur des terres. En face, on pouvait admirer trois petits îlets. Quelques joueurs des Pékans s'étaient réunis autour de Zak pour digérer leur amère défaite de l'après-midi. La jeune recrue commençait à exercer son influence auprès des joueurs qui n'en pouvaient plus de l'attitude de Steven Francoeur et de ses sbires. Jérémie « Jay » Maillé, « Frodon » Doucet, « l'échalote » Morin, Pierre-Antoine « Panda » et Jacob « Butch » Boucher rêvassaient à la manière de faire la leçon à leur arrogant quart-arrière. Du poil à gratter dans sa coquille à la crème à raser dans ses crampons, leurs gestes imaginaires les faisaient bien rire.

Alors que ses coéquipiers s'amusaient avec une balle aki, Pierre-Antoine s'approcha de Zak et lui demanda nerveusement s'il pouvait lui parler discrètement.

– Tantôt, j'ai dit à Loiselle que j'avais joué mon dernier match, annonça-t-il.

– Quoi ? répondit Zak, incrédule.

– Rassure-toi. Il n'a pas voulu. Il m'a fait jurer de continuer. Il a dit que j'avais trop de talent pour abandonner.

– C'est vrai, P-A.

– Je n'ai jamais su trouver ma place ici. Au primaire, on riait de moi à cause de ma couleur de peau. Au secondaire, c'était ma grosseur. Là, c'est à cause de mon jeu. J'ai rien demandé, moi. J'ai jamais joué au foot.

– Pourquoi t'es-tu inscrit alors ?

– Garde ça secret, OK ?

– Oui.

– Zak, jure-le.

– Promis juré !

– Cet été, Loiselle m'a pogné à voler son portable dans sa voiture. Au lieu de me dénoncer, il m'a dit de me présenter au camp.

– OK. Tu me jettes à terre, là.

– Je me suis tenu avec des gars pas trop recommandables ces dernières années.

– Pis là ?

– J'ai tout lâché depuis cette fois-là. J'ai pas le goût de me retrouver en prison. Loiselle m'a dit qu'il fera tout pour que je m'en sorte.

– Tu vois ? Il croit en toi ! Il est peut-être dur, mais c'est pour exploiter notre plein potentiel. Regarde-toi ! Tu as le *body* qu'il faut pour aller loin ! Je suis certain que tu pourras jouer universitaire. Il faut juste que tu travailles un peu plus fort pour comprendre la *game*. La vivre en dedans.

– Le *coach* m'a dit que tu serais prêt à m'aider.

– Bien sûr ! On va arranger ça. Fais-moi confiance. Dans quelques semaines, tu seras méconnaissable. Plus rien ne va passer. Tu seras un vrai mur ! *The Wall* !

– Merci, *bro*. Merci aussi pour cette semaine. Tu as aidé les gars à m'accepter comme je suis. C'était un bonheur de voir la gueule à Francoeur quand les Rioux m'ont soutenu.

– Qu'est-ce que tu fais ce soir ? J'ai promis à Cédrik d'aller voir un *show* de musique. Tu m'accompagnes ?

– J'sais pas trop. Les bars, c'est pas trop ma place.

– *Come on* ! Il va y avoir des filles !

– Justement. J'suis pas trop à l'aise avec elles.

– P-A ! Il va falloir que je te montre tout ? Envoye, suis-moi !

Les deux coéquipiers et leur bande empruntèrent un sentier qui traversait le parc pour rejoindre le centre-ville. Ils se séparèrent à la sortie qui menait à la rue Saint-Jean-Baptiste, l'une des artères principales. Zak et P-A continuèrent leur chemin vers le cégep. L'école détonnait dans ce paysage. Ancien séminaire, sa grande chapelle était aujourd'hui convertie en bibliothèque. L'édifice centenaire en imposait par sa taille et son architecture d'une autre époque.

Devant un petit local situé à proximité, Zak fit signe à son ami de l'attendre à l'extérieur. Les vitrines étaient toutes teintées, sauf celle où l'insigne « École de danse Reflex » était affichée. Zak entra et à sa droite se trouvait un studio aux couleurs éclatantes. De grands miroirs longeaient la pièce et différentes affiches de musiciens, plus ou moins bien conservées avec le temps, ornaient certaines parties des murs. La musique *dance* résonnait fortement. Victoria, accompagnée de deux autres filles, dont l'une était membre de son escouade, s'en donnait à cœur joie. Elles effectuaient d'incroyables pas de danse, des pirouettes et d'autres mouvements empruntés à la gymnastique. Zak était émerveillé. Puis la chorégraphie s'arrêta alors que la chanson se terminait.

– Bravo ! Bravo ! s'exclama Zak en claquant des mains. Une vraie Beyoncé !

– Qu'est-ce que tu fais ici ? questionna Victoria d'un ton étonné.

– Ben, je me suis dit que tu me devais une *date* ?

– Comment savais-tu où me trouver ?

– Vic, je joue au foot. C'est pas trop difficile pour moi de savoir où se trouve la capitaine des *cheerleaders* un samedi soir ! répondit Zak, moqueur.

– J'suis pas en état pour sortir.

– Allez ! J'ai fait mon touché ! Tu dois tenir ta parole ! Je te promets de ne pas te ramener trop tard, dit-il avec son sourire charmeur. Je vais à un *show* pas très loin d'ici. De la bonne musique en bonne compagnie ? P-A est là pour me surveiller si je gaffe !

Victoria hésita un instant, puis finit par accepter l'invitation de Zakary.

– Donne-moi quelques instants pour me préparer. T'es toujours aussi convaincant ?

– J'suis dans la vie comme au foot, je ne doute jamais. J'ose et je fonce !

***

Le trio marchait sur la rue St-Germain, l'endroit prisé des jeunes pour leurs soirées. Collégiens et universitaires envahissaient cette partie du centre-ville pour faire la fête. Les différentes ambiances des bars se ressentaient alors qu'ils passaient devant. Ils croisaient les fumeurs qui ne pouvaient s'empêcher de prendre une bouffée et les files d'attente dont la majorité se composait inévitablement d'ados qui tentaient de berner les *doormen*.

– Tu vois, P-A, t'es tellement connu que tu as ta propre rue ! Et un jour, il y aura une rue Turmel ! Sérieusement, tu es très talentueuse, Victoria.

– Merci. Un beau compliment de la part d'un gars qui ne connaît rien à la danse.

– J'ai vu mes classiques : *Footloose, Dirty Dancing, Step Up* !

– De la grande culture !

– Voudrais-tu danser professionnellement ?

– Je ne sais pas. À part donner des cours à des jeunes, je ne peux pas faire une carrière de danseuse ici. Il faudrait que je déménage à Montréal. Pour moi, c'est loin. En plus, mes parents tiennent à ce que j'étudie pour faire un vrai métier.

– Je te comprends. Ma mère ne veut rien savoir de mes parties. Elle a toujours eu peur que je me blesse. Elle pense que c'est une perte de temps.

– Ton père ?

– Il m'a toujours encouragé. C'est de lui que je tiens mon amour des sports. Plus jeune, il me faisait toujours bouger. Disons que mon éducation était source de conflits à la maison ! J'ai eu de la peine de le quitter, mais je pense que c'était la bonne chose à faire. J'avais besoin de voler de mes propres ailes...

– Parfois, je m'imagine tout laisser derrière : la pression, les regards, les préjugés, les travaux scolaires ! Juste partir et être une parfaite inconnue ailleurs !

– Ce soir, on oublie les tracas et on s'amuse ! D'accord ?

– Promis !

– En plus, il faut que tu nous aides à trouver une fille pour P-A !

– Zak ! J't'en prie.

– Tututut ! *Tonight is a good night to get some my friends!*

– Tu avais promis de bien te tenir ! avisa Victoria.

– Oui, mademoiselle ! Je serai un parfait *gentleman* ! Tu as ma parole ! Par contre, j'ai rien promis dans le cas de mon ami ici !

Les deux garçons échangèrent un sourire alors que Pierre-Antoine éprouvait pour sa part une certaine gêne.

Les amis arrivèrent au bar et entrèrent à l'intérieur de l'étroit établissement. L'ambiance était déjà survoltée et il devenait difficile de se comprendre tant la musique était forte. Il y avait une bonne foule, près d'une centaine de personnes, entassée dans le bar décoré de manière plutôt kitsch. Zak reconnut au loin Cédrik et quelques-uns de ses amis du programme d'art visuel. Il fit signe à Zak et ses compagnons de se joindre à eux. Il parlait rapidement tout en riant aux éclats à la fin de chacune de ses phrases.

– Zak ! Zak, mon ami ! Je suis content que tu sois venu en si bonne compagnie ! dit-il en remarquant Victoria.

– Ced, je te présente...

– Ô capitaine, mon capitaine de mon cœur ! La belle meneuse de claques Vicky Turmel !

– C'est plutôt Victoria, lui fit-elle remarquer d'un ton poli.

– Victoria, Victoria… du latin *victor* ! Vainqueur ! La victorieuse !

– Cédrik, t'es bourré ! J'étais dans tes cours au secondaire.

– Quoi ? Tu ne m'as jamais dit ça ! s'exclama Zak, surpris.

– Tu ne me l'as jamais demandé, *bro* ! Panda ! Comment ça va, *buddy* ? Tu es le garde du corps de Zak, ce soir ? Sa bonne conscience ? Son… Jiminy… Panda ? explosa-t-il d'un rire intense.

– Ced ! Lâche-le un peu… Qu'est-ce qui joue ce soir ?

– Tout d'abord, aimez-vous *mi casa* ? C'est l'*hacienda* de mon cousin, Fred ! Hey ! Rioux ! l'interpella-t-il. *Shooters pronto mi amigo* ! Vous allez triper sur le groupe !

– Qui est ?

– *El Comandante* ! Il fait dans le trad-ska-fusion engagé ! Le batteur ressemble à Chewbacca avec ses longs cheveux bruns !

– Et la charmante élue ?

– *Sweet Caroline* ! entonna Cédrik. Caro, elle joue du banjo et du violon. Elle fait aussi des *back vocals* ! Tu vas voir, elle est écœurante en plus d'être tout un canon ! *Boum* !

Le quintette embarqua finalement sur scène sous les applaudissements de la foule et les acclamations de Cédrik envers la fille de ses rêves. Victoria et Zak ne pouvaient s'empêcher de jouer au jeu du chat et de la souris avec leurs regards. Quand l'un osait porter ses yeux sur l'autre, celui-ci les détournait. Après une longue hésitation, Zak mit finalement la main tendrement sur l'épaule de Victoria, lui relevant quelques mèches qui descendaient sur son visage, ou il lui soufflait quelques mots à l'oreille pour s'assurer que tout se passait bien. Elle hochait la tête et son sourire craquant répondait à ses interrogations. Cédrik réussit même à présenter une étudiante de ses cours à Pierre-Antoine. Timide, il la contemplait et la laissait parler. Puis, la fête se termina abruptement quand ils durent sortir de l'établissement pour soutenir P-A qui vomissait l'alcool qu'il avait consommé.

– Ah ben tabarouette, Panda ! T'es deux fois plus gros que moi, pis t'es même pas capable de consommer la moitié de ce que je prends ! pouffa Cédrik.

– Rioux ! Ôte ton cellulaire de ma face !

– Allez ! Un autre coup pour Instagram !

– Très drôle !

– Tu veux que je te raccompagne ? demanda Zak à Victoria.

– La soirée fut presque merveilleuse, lui dit-elle d'un ton moqueur, mais je pense que je vais rentrer seule chez moi. J'vais marcher un peu avant de prendre l'autobus. Merci pour la soirée, Zak. Ça m'a fait du bien.

Elle l'embrassa tendrement sur la joue.

– On remet ça ?

– Ça va prendre plus qu'un touché !

– Une victoire ? Réserve ton prochain dimanche !

Elle lui fit signe de la main alors qu'elle s'éloignait.

– Ha ha ha ! Un *fumble* de la part de notre porteur de ballon et notre gros ailier qui l'échappe !

– Ced, ferme-la ! Oublie pas ta promesse. À ta place, je me tiendrais tranquille devant deux joueurs de foot !

Chapitre 8

– Monsieur Duclair, n'oubliez pas que vous devez conserver une certaine moyenne pour poursuivre votre parcours académique… non traditionnel, dit sèchement Yvon Roy alors qu'il lui remettait sa copie d'examen.

Zak regarda nerveusement sa note : quarante-huit pour cent.

– J'aurais également été bien curieux de voir *Les Belles Sœurs* si, effectivement, Réjean Tremblay en était l'auteur. L'intrigue comporterait probablement plus d'action.

– Écoutez, pour moi, le théâtre, c'est une langue que je ne comprends pas. Des bonnes femmes qui chialent sans arrêt pour une affaire de timbres…

– Pourtant, toutes les semaines, vous êtes, vous-mêmes, un acteur sur une scène. L'enjeu et les rivalités feraient pâlir d'envie Shakespeare. Et vos aventures de mœurs inspireraient certainement Racine ou Molière, selon le cas !

– Si vous le dites…

– Tâchez de vous reprendre.

– Bien sûr.

Zak envoya un regard de détresse à Marjorie qui lui répondit par un sourire compatissant. Le professeur s'adressa à la classe :

– *Cyrano de Bergerac* ! Le grand – excusez mon analogie – monument du théâtre romantique et de la tragédie classique ! Monsieur Duclair, vous allez apprécier : de la guerre, des duels, des combats d'épées !

À la sortie de la classe, Marjorie eut juste le temps d'intercepter Zak.

– Ouf ! Il était en forme aujourd'hui ! Mauvaise note ?

– Je coule. Va falloir que je remonte ça, sinon je ne pourrai plus jouer.

– D'après les photos que j'ai vues, il semblerait que ta soirée de samedi se soit bien déroulée.

– D'ailleurs, merci de m'avoir pointé où était Victoria. Elle était surprise que je la retrouve au studio. Je pensais te voir au spectacle.

– Finalement, j'suis tombée sur un film à la télé... P-A va mieux ?

– De retour sur deux pattes !

– On se voit ce soir ?

– Bien sûr.

– Fais le message à Raymond que je vais arriver un peu plus tard.

– D'accord. À tantôt, dit nerveusement Marjorie en s'avançant plutôt maladroitement pour tenter de donner un baiser sur la joue de Zak.

– Duclair ! Duclair ? insista une voix au même moment.

Zak se tourna et accrocha Marjorie au visage alors qu'il se tournait avec son sac à dos à l'épaule.

– S'cuse moi ! Je ne t'ai pas fait mal ?

– Non, non. Ça va…

– Une petite question pour l'Écho Campus ?

C'était Beaulieu. Il s'approcha de Zak.

– Tu veux une autre de mes suggestions de films ?

– Comment réagis-tu aux deux matchs de suspension de Gauthier ?

Zak fit un joli sourire à Marjorie et quitta le corridor en compagnie de Beaulieu. Son amie le regarda, habitée d'une légère tristesse, réalisant qu'elle ne pourrait rivaliser avec Victoria. Elle s'était pourtant juré de ne jamais tomber amoureuse d'un athlète de l'école, mais elle parvenait difficilement à résister au charme de Zak.

***

Cédrik et son adversaire se regardaient férocement, tels deux boxeurs après la pesée officielle. Il devait démontrer qu'il était le loup dominant de la meute et non le dominé du combat. Coûte que coûte, il devait achever la personne qui se tenait devant lui, et ce, le plus rapidement possible. Semer le doute dès la première attaque. *No mercy* ! Les deux étudiants se mirent en position de garde, attendant l'accord du professeur. Cédrik avait du mal à respirer avec ce masque quadrillé sur la tête. Le signal donné, il se lança brutalement vers son opposant qu'il atteignit à la poitrine avec son fleuret.

– Ayoye ! cria Juliette.

– Rioux ! Relaxe ! C'est pas Darth Vader qui se tient devant toi ! avertit l'enseignant.

– S'cusez. Je me suis laissé emporter par mon enthousiasme.

– Juliette, ça va ?

– Mon sein est engourdi !

– Prends une pause.

– Rioux, c'est le dernier avertissement. Tu ne peux pas blesser tes collègues à chaque entraînement. Je vais être obligé de te faire couler. L'escrime est un art. Ce n'est pas du combat de sabre laser !

– Oui, monsieur. Je vais faire de mon mieux pour contrôler mes pulsions !

Heureusement, le reste de la période se déroula sans heurts. À la sortie du gymnase, Cédrik aperçut Zakary qui se tenait près des vestiaires avec un casque de football sous le bras.

– *Come on, man* ! C'est jeudi soir ! se lamenta Cédrik.

– Une promesse est une promesse, *amigo* !

– À quelle heure ? 19 heures au terrain ? J'espère que Whittom va t'écraser à la pratique pis que tu ne pourras pas te présenter.

– Pas de chance. J'suis trop rapide pour lui ! À tantôt !

– C'est ça... T'as une coquille au moins ?

***

Ils avaient attendu que tout soit rangé sur le terrain pour ne pas éveiller la curiosité de leurs coéquipiers. Pierre-Antoine tenait à ce que ses entraînements privés se déroulent dans la discrétion la plus totale.

– Attends ! Laisse-moi allumer un *bat* avant, *bro*, supplia Cédrik en riant.

Il alluma son joint, prit quelques bouffées et il remit le casque de football sur sa tête.

– Quand vous voulez, les *boys* ! s'exclama-t-il en toussant légèrement.

– Ced ? Tu comprends ta job ? demanda Zak.

– Oui. Je cours vers toi. Il doit m'empêcher de le contourner.

– P-A ? T'es prêt ?

Habillé en uniforme complet, l'ailier défensif hocha la tête.

– *Go* ! cria Zak.

Planté quelques mètres devant P-A, Cédrik fonça droit devant et, à la dernière seconde, il bifurqua vers sa droite, laissant son adversaire choir au sol.

– P-A ! Allez ! Tu t'es fait avoir par un *stoner* qui pense que jouer à *Call of Duty* est un sport !

– Tu vas voir qu'un jour, il y aura une discipline pour les jeux vidéo aux olympiques !

– On reprend ça ! ordonna Zak.

Cédrik regagna sa position face à Pierre-Antoine. Cette fois-ci, le joueur des Pékans demeura concentré. Il ne voulait pas se faire humilier de nouveau. Il attendit le parfait moment pour bouger et plaqua solidement Cédrik au sol. Le souffle coupé, celui-ci peina à se relever.

– J'pense que je me suis brisé la rate !

– Envoye grosse douceur ! On reprend ça ! P-A ? Même chose !

– Quoi ? protesta Cédrik.

– Encore trente minutes. Après, je dois partir. En position !

– Vous êtes mieux de gagner ! s'exclama Cédrik.

Chapitre 9

Loiselle se tenait au centre de ses joueurs, fin prêts pour cette troisième partie. La semaine avait encore été bien remplie avec les séances vidéo usuelles et les entraînements, où la priorité fut mise sur les unités spéciales. Pas question de se faire retourner un autre botté pour un touché cette semaine !

Les Pékans affrontaient les Condors de Lévis-Lauzon, une équipe de milieu de classement qui demeurait tout de même une opposition coriace.

– Ils n'ont pas vraiment de vedettes, de joueurs qui sortent du lot, mais ils possèdent quelques athlètes solides et surtout ils jouent bien en équipe. C'est souvent plus dangereux qu'une équipe bourrée de talent. Ils n'abandonnent jamais. Leur quart-arrière, un joueur de troisième année, joue du bon football discipliné. Un peu à la Russell Wilson des Seahawks de Seattle, il distribue bien le ballon et il fait très peu d'erreurs. Il joue bien dans les paramètres de son système offensif. Il est aussi agile avec ses jambes, capable de s'enfuir en quelques secondes pour donner plus de temps à ses receveurs de passe et leur permettre de se défaire de leurs couvreurs. Donc la ligne défensive doit être intraitable aujourd'hui. Faites attention aux courses hors ailes. *Let's go* ! On en doit une à nos partisans aujourd'hui ! Il faut la gagner, celle-là !

Gonflés à bloc, les joueurs sortirent du vestiaire avec le couteau entre les dents. Ils allaient à la guerre !

Une pluie fine s'abattait sur la ville. Au stade, une poignée d'irréductibles affrontaient les conditions météorologiques plus propices à demeurer à l'intérieur qu'à s'asseoir pendant près de trois heures dans les estrades. La couverture de laine, la tuque et les mitaines étaient de mise pour cette partie. DJ Dan tentait tant bien que mal de mettre un peu d'ambiance avec sa musique électro-pop.

Marjorie, sous son costume de mascotte, trouvait sa tâche pénible. Toutefois, elle faisait de son mieux pour donner de l'énergie aux joueurs en leur donnant des *high five* alors qu'ils prenaient place sur les lignes de côté.

Rimouski gagna le tirage au sort et Loiselle décida de commencer immédiatement à l'attaque, vu le rendement amélioré de son unité offensive la semaine précédente. Ce fut une bonne stratégie puisque le retour de botté d'envoi de trente-deux verges du retourneur Doucet les plaça à la ligne des quarante-deux verges pour commencer leur série à l'attaque. Les Pékans gagnèrent dix-sept verges avec une belle course de Zak, suivie d'un attrapé de Morin sur un jeu en croisé. La menace s'arrêta là alors que Rimouski dut dégager quelques jeux plus tard, mais son enchaînement offensif fut positif. Ils avaient réussi à dépasser la mi-terrain et ils allaient miser sur un bon positionnement pour leur première séquence à la défensive.

Par contre, Lévis-Lauzon n'était pas du genre à se laisser impressionner. Après quelques beaux jeux au sol de leur porteur et une couverture ratée par le demi de coin Yan Allard, Lévis-Lauzon menaçait en pénétrant dans le territoire des Pékans. Le jeu suivant, Lévis-Lauzon s'aligna en formation balancée avec deux porteurs de ballon. Le centre-arrière commença une motion lente vers le côté large du terrain, à droite. Les Pékans jouaient une couverture d'homme à homme. Le quart-arrière des Condors mit le ballon en jeu et se retourna immédiatement pour faire une petite passe arrière à son porteur qui filait vers la droite. C'était le jeu du balayage ! Le demi-inséré des Condors attira vers lui son surveillant, le demi-défensif Vincent Robitaille, et il partit à toute vitesse vers le secondeur extérieur des Pékans, Jacob Boucher, qui arrivait à sens inverse. Il ne vit pas son adversaire et le contact fut extrêmement violent.

L'erreur de positionnement de Robitaille, qui fut attiré vers le centre du terrain, ouvrit une large voie de course pour le porteur. Le jeu de Lévis-Lauzon fut exécuté à perfection et, après une folle course de quarante-trois verges, c'était sept à zéro. Ce jeu raté en défense laissait un sentiment de déjà-vu pour l'équipe de Loiselle.

De retour sur le banc, Jacob mit en garde son coéquipier :

– Vince, faut que tu m'avertisses quand y'a un *crack block* ! J'viens de me faire geler ben raide !

– Désolé, je m'attendais à un tracé en croisé, je ne pensais pas qu'il t'avait dans sa mire.

– *Come on* ! On reste alerte sur le terrain ! Faut éviter ces erreurs-là, les gars ! avertit Loiselle.

Pour le reste de la première demie, l'attaque des Pékans continua à réussir quelques bons jeux, mais il manquait toujours cette finition qui deviendrait payante. Ils demeuraient incapables de convertir ces bonnes séries offensives en points au tableau. Mais les joueurs ne se laissaient pas abattre, persuadés que c'était une question de temps avant que ça ne se débloque.

Défensivement, les Pékans tenaient le coup, mais sur un jeu anodin, le quart-arrière adverse montra son grand talent en se défaisant de ce qui semblait être assurément un sac du quart, pour s'enfuir vers la droite et décocher une passe à son receveur, installé confortablement dans la zone des buts. La ligne tertiaire l'avait oublié. À la mi-temps, Lévis-Lauzon dominait par un pointage de quatorze à zéro.

Dans le vestiaire, les joueurs se réchauffaient un peu en buvant du bouillon de poulet. Loiselle se montrait tout de même positif :

– La défense : on joue bien. On a fait deux erreurs, pis ils en ont profité. On le sait, ils sont constants. Ce n'est pas compliqué, aussitôt qu'on faiblit, ils prennent tout ce qu'on leur donne. Alors c'est simple, on ne leur donne plus rien ! On ferme le jeu et on y va une séquence à la fois. Je refuse de croire qu'ils sont meilleurs que nous. L'offensive : les gars, réveillez-vous ! On est vraiment proches... le sentez-vous comme moi ? Regardez vos *coachs*, y a aucune panique. On a encore deux quarts pour répliquer. Ça fait qu'on continue avec le même plan de match. Ça va se débloquer ! Je le sais ! Vous le savez ! *Let's go* !

De retour sur le terrain, les Condors commençaient à l'attaque. Ils s'étaient bien ajustés à la mi-temps et ils avançaient méticuleusement sur le terrain. Leurs jeux simples mais efficaces leur permettaient de gagner en moyenne cinq verges, autant par la passe que par la course. Ils affichaient la constance d'un métronome.

Sur un deuxième essai et six verges à franchir, les Condors optèrent pour une passe. Le quart-arrière était bien placé derrière le centre. Ils avaient choisi une feinte de jeu au sol vers la gauche, suivi d'une sortie planifiée de la poche protectrice du quart-arrière. Leur objectif, avec ce jeu au sol, était évidemment d'attirer la ligne défensive et les secondeurs des Pékans pour créer de l'espace et donner du temps au quart-arrière pour compléter une passe à l'un de ses receveurs. La feinte fut bien exécutée, mais P-A, positionné du côté opposé à la feinte, réussit à deviner leur jeu. Il ajusta donc son angle de course en conséquence et fila droit vers le quart, qui lui faisait dos. Celui-ci se revira, croyant avoir un terrain grand ouvert, mais ce fut plutôt P-A qui l'accueillit, comme un train à plein régime. Dans un synchronisme parfait, il s'étendit de tout son long, mais surtout de tout son poids sur le pauvre joueur adverse, qui en perdit son casque et… le ballon !

Témoin du plaqué monstre de P-A, Étienne Whittom récupéra le ballon et fila droit vers la zone des buts. Le pointage était maintenant de quatorze à sept au profit des Condors. Sur les lignes de côté des Pékans, l'ambiance était à son comble. Par contre, malgré les félicitations de son entraîneur, P-A ressentait un certain malaise en voyant sa victime retraitée au vestiaire, complètement sonnée. Souffrant vraisemblablement d'une commotion cérébrale, le match était terminé pour lui.

Le quart-arrière remplaçant des Condors était nerveux. Il s'agissait d'une recrue qui disputait ses premières minutes au niveau collégial. Il devait prendre le contrôle de l'unité offensive : tout un défi ! Pour le mettre en confiance et lui enlever un peu de pression, son coordonnateur à l'attaque opta pour quelques jeux au sol. Une stratégie que Loiselle et son personnel d'entraîneurs anticipèrent. Lévis-Lauzon fut forcée de dégager sans même avoir gagné une verge. Rimouski reprit le ballon avec un bon positionnement de terrain, juste à l'entrée du territoire de leur adversaire. Zakary dépeça la défensive fragilisée des Condors et enchaîna une série de courses qui mena les Pékans à la ligne des buts. À cinq verges d'un touché, Francoeur pénétra lui-même dans la zone payante. Il décida alors de conserver le ballon après avoir vu une ouverture sur sa droite. Selon la conversion usuelle, le pointage était égal. Pour la première fois de la saison, les joueurs ressentaient du plaisir sur le terrain et ils croyaient en leur chance de remporter une victoire. La petite foule tentait du mieux qu'elle pouvait d'encourager son équipe.

Malgré la perte de leur meilleur joueur, les Condors ne baissaient pas les bras. Au contraire, ils resserrèrent la défensive et changèrent de stratégie offensive. Le nouveau quart prenait confiance et, une fois son bras réchauffé, il réussit à gagner des verges par de petites passes courtes très efficaces. Il exécuta même une bombe d'une trentaine de verges qui amena les Condors tout près de la ligne des buts. Heureusement, les Pékans empêchèrent le touché, entre autres grâce à un superbe jeu de P-A qui connaissait son meilleur match. Lévis-Lauzon marqua trois points sur un botté de précision. Il reprenait donc l'avance à la toute fin du troisième quart.

La dernière portion de la partie laissa place à un jeu très ouvert. Les deux équipes bataillaient fermement pour la victoire. Jusqu'à maintenant, Francoeur jouait un excellent match. Il prenait de bonnes décisions et était en plein contrôle de ses moyens. Par contre, c'était dans ces moments que Francoeur pouvait être son pire ennemi. Sa confiance se transformait en nonchalance et il devenait capable du meilleur comme du pire en l'espace de quelques jeux. Alors qu'il était positionné derrière son joueur de centre, il remarqua un décalage entre son grand receveur de passe, Alex Dufresne, et son couvreur, un joueur de plus petite taille. Il lui fit un petit signe de la main et le receveur comprit que le jeu était changé. Dufresne partit à vive allure en ligne droite, débordant son couvreur par l'extérieur pour capter la belle passe en hauteur de son quart-arrière. Un touché de quarante-cinq verges ! Les Pékans reprenaient les devants : vingt et un à dix-sept avec huit minutes à jouer.

Francoeur fit une gaffe quelques instants plus tard tandis que Rimouski reprenait le ballon avec une belle interception de Whittom. Normalement, il avait juste à bien gérer le temps et les Pékans auraient été en position de gagner, mais il força trop le jeu. Il lança aveuglément le ballon en direction de Morin qui courait un tracé perpendiculaire vers l'extérieur. Il n'avait pas pris le temps de regarder la couverture défensive de son adversaire. Le demi de coin qui surveillait la zone courte extérieure sauta devant Morin et, du bout des doigts, il réussit à rapporter le ballon vers lui. Le terrain complètement vide devant lui, il fila jusqu'à la zone des buts. Les Condors reprenaient l'avance par trois points avec deux minutes à jouer, dernière chance qui s'offrait aux Pékans. Sur le banc, Loiselle fouettait ses joueurs :

– Francoeur ! Les gars méritent cette victoire ! Va la chercher ! Répare ton erreur ! Montre que tu as du *guts* ! *Come on*, les *boys* ! On est tout près ! Je la veux, celle-là ! Qui va se lever ?

Les joueurs lancèrent un cri de ralliement sous les encouragements des meneuses de claques. La pluie s'était estompée depuis plusieurs minutes. Malgré le terrain mouillé, il n'y avait plus d'excuses.

Loiselle sentait que la confiance de ses joueurs demeurait fragile. Pour ne rien brusquer, il opta pour un petit jeu-surprise dès le premier essai afin de calmer leur nervosité. Il plaça quatre receveurs à la droite de Francoeur et un dernier sur sa gauche, du même côté que Zak. Aussitôt le jeu amorcé, le petit mais fougueux porteur de ballon fila à toute vitesse vers la gauche, remontant le terrain tout près des lignes de côté. Plus rapide que le secondeur qui le couvrait, il réussit à le devancer pour capter de justesse la passe de près de vingt-cinq verges de son quart-arrière. Les Pékans poursuivaient rapidement le jeu, mais Francoeur vit sa passe pour Maxim Roy être rabattue par le demi-défensif. Les secondes s'écoulaient sous les yeux de Loiselle. À mi-terrain, Francoeur remit le ballon à Zak qui réussit un premier jeu de peine et misère grâce à une course endiablée, repoussant les joueurs adversaires qui tentaient de le mettre au sol. Rimouski était bien située pour effectuer un placement, ce qui lui permettrait d'égaliser le pointage. La stratégie était d'y retourner avec Zak, mais Francoeur n'eut pas le temps de lui remettre le ballon alors qu'il voyait le *blitz* se diriger tout droit vers eux. Courageusement, le quart-arrière réussit à se débattre et effectua un incroyable lancer vers Morin qu'il aperçut du coin de l'œil.

Avec quelques secondes au cadran, Loiselle y allait pour la victoire. Il appela un dernier jeu au sol avec Zak qui disputait une extraordinaire rencontre. Duclair se tenait du côté large du terrain à quelques verges de la zone des buts. Exécutée à la perfection sur la ligne d'engagement, la remise permit à Zak d'arriver à pleine vitesse vers le deuxième niveau défensif. Il réussit un superbe mouvement pour esquiver le demi-défensif, lui sautant presque dessus, et se diriger vers l'extérieur droit du terrain, inscrivant un touché spectaculaire. Victoire de vingt-huit à vingt-quatre sous les cris endiablés du petit groupe de partisans présents. DJ Dan remit la musique à la plus grande satisfaction des joueurs qui savouraient enfin leur première victoire de la saison.

Dans le vestiaire, alors que tout le monde criait, Loiselle crut bon de tempérer les émotions :

– Les gars ! Les gars ? Bravo ! *Good job* ! Ça n'a pas été facile, mais vous n'avez pas abandonné. Vous y avez cru comme nous avons cru en vous ! Je suis fier de vous. Maintenant, ce n'est qu'une victoire. On revient au boulot lundi. La semaine prochaine, on affronte Trois-Rivières, les champions. Donc, amusez-vous, mais pas trop !

Chapitre 10

Après une semaine morose, le soleil était enfin revenu, offrant un parfait ciel bleu pour une randonnée en vélo. Suite à la victoire de leur équipe, Victoria avait tenu sa promesse envers Zak. Ils s'étaient dirigés vers Sainte-Luce, un petit village à moins de vingt kilomètres de Rimouski, réputé pour sa belle plage qui longeait le Saint-Laurent. C'était un endroit prisé pour une escapade romantique.

Ils marchaient le long de la grève, admirant la beauté du fleuve et se laissant détendre par les sons reposants du va-et-vient des vagues qui se rabattaient près d'eux. Au loin, les dernières mouettes encore présentes à cette période de l'année laissaient entendre leurs rires moqueurs.

– Ces foutus oiseaux me font penser à mes parents qui ne cessent de faire du bruit en me parlant au lieu de m'écouter !

– Ils te mettent de la pression ?

– À leurs yeux, il faudrait que je sois bonne dans toutes les matières ! Le *cheerleading,* c'est bien *cute,* mais si tu veux un avenir, il faut réussir !

– Le discours classique !

– J'suis tannée d'eux et des autres qui pensent que, parce que je suis blonde et généralement de bonne humeur, rien ne peut me tracasser et que je ne peux pas souffrir d'angoisse, moi aussi !

– Qu'est-ce qui te tracasse ?

– Trouver ma place. Je regarde les autres filles et elles savent toutes ce qu'elles veulent faire et quel chemin prendre pour y arriver. Moi, j'ai envie de débarquer de l'autoroute.

– Pourquoi ?

– Parce que je ne rentre pas dans un moule. Je ne veux pas suivre la ligne entre les points a et b.

– Je te comprends. Le système veut qu'à notre âge nous choisissions déjà le tracé qui va nous permettre de trouver une job et d'être utiles à la société. Qu'en est-il pour les marginaux, les artistes et les sportifs ?

Zak prit un galet dans le sable, le lança à l'eau et réussit à lui faire faire deux bonds. Victoria sourit. Elle s'agenouilla et fouilla quelques instants, le temps de trouver le bon caillou. Puis elle s'essaya à son tour. À la grande stupéfaction de Zak, la petite roche fit cinq ricochets.

– Wow ! Tu es une vraie experte !

– Je viens du Bas-du-Fleuve ! Je ne suis pas de la ville avec vos pataugeuses !

Piqué dans son orgueil, Zak tira à nouveau un galet. Il coula au premier coup.

– Il était trop gros. Laisse-moi te montrer. Tout d'abord, il te faut un caillou plat qui ne pèse pas trop lourd. Ensuite, non seulement il faut le lancer vite, mais on doit aussi le faire tourner sur lui-même. Plus il fera les deux en même temps, plus tu seras en mesure de faire des ricochets. Tiens ! Prends celui-ci.

Zak prit le galet que lui offrait Victoria et le lança à la surface de l'eau, suivant les instructions de son amie. Il réussit à lui faire faire quatre bonds. Fier de sa prestation, il sourit en regardant Victoria. Il s'approcha lentement d'elle et mit ses mains doucement sur ses hanches. La fixant dans les yeux, il osa pencher la tête pour lui embrasser tendrement les lèvres. Victoria mit ses mains sur ses joues, acceptant le baiser, mais elle le repoussa au bout de quelques secondes.

– Attends. Je dois me confesser.

– Tu as été vilaine ? dit-il en blaguant.

– Sois sérieux un instant.

– Je t'écoute.

– Je ne suis pas aussi facile que ma réputation le laisse croire. Oui, j'aime m'envoyer en l'air, mais pas avec n'importe qui ou n'importe comment.

– Ta relation avec Francoeur ?

– Superficielle à son image. Il était plus préoccupé par ses performances que par le résultat ! avoua-t-elle en souriant.

– Tu es l'une des plus belles filles que j'aie rencontrées. Je ne me fais aucune idée quant à notre futur. Tout ce que je sais, c'est que je te désire.

Victoria offrit un baiser sur la joue à Zak et lui prit la main.

– Prêt pour la crème glacée ? demanda-t-elle.

***

Il avait pris double chocolat et elle, pistache. Une fois leurs cornets terminés, ils enfourchèrent leurs vélos pour retourner à Rimouski. Soudainement, une Mustang sport décapotable rouge freina en leur coupant la route. C'était Francoeur et sa bande de gorilles. Whittom occupait le siège du passager et les Rioux bouffaient des beignes à l'arrière. Le grand blond sortit de la voiture pour sermonner Victoria.

– Qu'est-ce que tu fous avec lui ?

– Laisse-moi tranquille.

– Dis-moi pas que t'es avec lui ?

– Francoeur, c'est pas tes oignons ! Laisse Zak en dehors de ça.

– Je n'accepte pas que Duclair puisse te toucher.

– J'ai le droit de me laisser toucher par qui je veux. Combien de fois va falloir que je te dise que nous, c'est terminé. FINI ! Imbécile !

Francoeur leva la main vers Victoria comme s'il allait la gifler, mais la farouche blonde lui donna un coup de genou dans l'entrejambe. Francoeur s'écroula au sol en se tordant de douleur. Whittom sortit de la voiture pour aider son ami tandis que Victoria et Zak empoignèrent leur vélo pour fuir. Francoeur remonta à bord de sa Mustang et fila à vive allure vers son ennemi. Il s'approcha tout près de Zak. Il lui arracha la main de son guidon et la déposa sur le dessus de la portière. Francoeur tenait fermement la main de son coéquipier.

– Tu aimes la vitesse, non ?

Il accéléra, faisant tourner bruyamment son moteur. Zak n'eut d'autre choix que de pédaler plus vite. Victoria pria Steven d'arrêter. Whittom l'encourageait alors que les Rioux commençaient à trouver que la plaisanterie n'avait rien de drôle. Au contraire, la manœuvre devenait dangereuse et ils connaissaient l'importance de Duclair au sein de leur formation. Ce n'était pas le moment de le blesser et encore moins d'être les complices d'une connerie. Ils supplièrent Francoeur de ralentir, sinon ils le dénonceraient. Le quart-arrière leur envoya un regard haineux, puis il se rangea vers le trottoir. Il relâcha la main de Zak, qui ne put éviter d'aller choir dans un amas de sacs de poubelles. La Mustang déguerpit à vive allure. Victoria descendit de son vélo pour rejoindre Zak qui, heureusement, se releva sans trop de difficulté.

– Quel idiot !

– Tu devrais le dénoncer à Loiselle.

– Non. Le pire, c'est qu'on a besoin de lui pour gagner.

– Il est dangereux. Dis-moi pas un truc du genre macho que tu vas régler ça à coups de poing.

– Je vais lâcher P-A à ses trousses.

– Niaiseux. Je suis sérieuse.

– T'inquiète pas. La vengeance est un plat qui se mange froid.

Victoria regardait Zak sans comprendre les sens de ses paroles.

– Un proverbe klingon. *Star Trek* ? Laisse faire…

***

Alors que les joueurs se préparaient pour leur entraînement quotidien, Zak enfilait son uniforme, faisant fi de l'incident de la veille. Toutefois, il accepta les excuses des Rioux, qui ne croyaient pas que Francoeur irait si loin. En ce qui concernait son quart-arrière, il l'évitait du mieux qu'il pouvait, non sans avoir mis préalablement des laxatifs dans sa bouteille d'eau.

Une fois sur le terrain, Francoeur ne pouvait s'empêcher de quitter régulièrement ses coéquipiers pour rejoindre les toilettes, au plus grand mécontentement de Loiselle. L'entraîneur ne comprenait pas ce qui se passait avec son joueur. D'ailleurs, pour lui faire payer son insolence, il dut rester pour une session de redressements assis et de *push-ups*, pour rattraper le temps perdu. Mécontent, Francoeur garda sa colère pour lui tout en s'efforçant de ne pas s'échapper dans son uniforme.

Les Rioux lancèrent un regard approbateur à Zak, tandis que Whittom commençait à se douter de l'implication de son collègue dans la mésaventure de son ami. Il s'approcha furieusement de Duclair :

– Qu'est-ce que tu lui as fait ?

– La même chose que tu subiras si tu ne te tasses pas de ma face ! J'sais que le courant ne semble pas toujours passer dans ton cerveau, mais nous sommes une équipe. Si tu veux encore intimider le monde, retourne donc au primaire. Moi, je me bats pour mes coéquipiers. Pour tous mes coéquipiers, même Francoeur et toi, Whittom. Veux-tu gagner ? Oui ? Fous-nous la paix, pis fais ta job sur le terrain.

Duclair quitta le terrain, laissant Whittom derrière qui, pour la première fois, sentait les paroles de son coéquipier résonner en lui.

Chapitre 11

– À ta première victoire ! dit solennellement Raymond à Zak. J'ai suivi la *game* à la radio. Vous avez montré du cran !

– Merci. J'avoue qu'elle a fait du bien.

– Tu parles ! Je ne serai plus obligé de te ramasser à la petite cuillère ! « On est pourris ! Mon entraîneur ne m'aime pas ! » ajouta Cédrik en imitant Zak, pleurnichant.

Raymond, les traits un peu plus tirés, se pencha vers une petite glacière qu'il avait laissée au pied de la table.

– Tiens ! On va célébrer ça avec du *ginger ale.* La bière passe plus.

– C'est ben correct. C'est gentil de votre part.

– De TA part. Arrête le « vous ».

– De TA part.

– Si le temps me le permet, je vais essayer de venir vous voir.

– Ça serait vraiment *chill.*

– Comment ?

– Le *fun,* plaisant, traduit Cédrik.

– Ah. Pis, la fille ?

– Préfères-tu les potins ou bien les sports ?

– Les deux !

– Raymond ! S'il te plaît ! J'suis plus capable de l'entendre ! taquina Cédrik.

– On a fait quelques sorties ensemble.

– *Good.* Les gars, la vie passe trop vite. Quand vous savez que c'est la bonne, foncez ! confessa-t-il d'une toux qui se montrait plus présente.

Marjorie entra dans le salon communautaire. Elle salua une vieille dame en lui glissant une tablette chocolatée dans la main, puis elle sourit à Zak.

– Raymond ! Viens dehors nous raconter la fois où tu jouais au hockey malgré une fracture à la main ! demanda Cédrik.

– Je ne te l'ai pas déjà racontée, Zak ?

– Il m'a épargné les détails intéressants, répondit Cédrik en lui montrant le contenu d'un petit sac brun en papier.

– Oui. Je vois. C'était la fin de la première période contre les Rangers…

***

Une fine pluie s'abattait sur Zak, Cedrik et Marjorie pendant qu'ils marchaient vers l'arrêt d'autobus. Zak était blotti sous le parapluie de Marjorie, espérant se protéger du mieux qu'il pouvait de l'eau, alors que Cédrik s'en donnait à cœur joie d'être complètement trempé.

– Tu as vraiment développé un beau lien avec Raymond.

– Oui. J'avoue que la première fois que je suis rentré là-bas, je me demandais sincèrement comment j'y arriverais, mais ce monsieur me fait penser à mon père. Ç'a été plus facile de créer un lien.

– Il te manque ? Tu ne nous parles jamais de tes parents.

– Mon père est atteint d'une maladie dégénérative. Il ne travaille plus depuis quelques années. Il préfère se laisser aller plutôt que prendre des médicaments. Cette situation a fini par créer un stress entre mes parents. Déjà que ce n'était plus le grand amour. Là, ils vivent leur vie ensemble, séparément !

– Désolé. Je ne voulais pas brasser de mauvais sentiments.

– C'est correct. Je m'y suis habitué. Je ne leur en veux pas. Je regrette que mon père ne puisse pas me voir jouer. Surtout qu'il aime le sport. La vie nous donne une main, c'est à nous de décider comment la jouer. Moi, je recule devant rien !

– Même Francoeur ?

– Surtout Francoeur, insista-t-il.

Cédrik avait l'impression d'être de trop.

– Lui, j'pense qu'il ne retiendra plus rien ! ajouta Cédrik, riant à haute voix.

– J'avoue que les laxatifs, c'était fort comme coup, dit Marjorie.

Un autobus se présenta devant l'arrêt. En se quittant, Marjorie et Zak s'approchèrent maladroitement l'un de l'autre. Le baiser destiné sur la joue arriva plutôt sur leurs lèvres. Gênée, Marjorie s'excusa du geste et monta rapidement à bord du bus. Surpris, Zak resta figé un court instant, puis la salua de la main. Amusé, Cédrik ne put s'empêcher d'intervenir :

– Là, mes doutes sont pas mal confirmés. Marjorie a de sentiments pour toi, mon chum.

– De quoi parles-tu ? C'était un bec maladroit qui ne veut rien dire.

– T'es tellement aveugle ! Je percevais quelque chose dans son regard, mais là, je te le garantis ! Surtout, comment elle est partie !

– Arrête. Pourquoi m'aiderait-elle avec Vic ?

– Pour se rapprocher de son ennemie ! Elle sera là pour ramasser les miettes !

– Voyons !

– *Beware the psycho chick*!

– T'écoutes trop de films ! Pis toi ? Avec ta Caro ? Il n'y a pas plus d'action de ton côté !

– Ça s'en vient. Mes *jedi mind tricks* commencent à porter leurs fruits ! On a un rendez-vous samedi soir pendant que tu seras à Trois-Rivières. Comme le dit Raymond : « Je fonce ! »

Chapitre 12

Les Aigles. Les champions en titre et une équipe qui, au fil des années, était devenue une référence dans le circuit collégial. Plusieurs de leurs joueurs se retrouvaient parfois dans les rangs universitaires. Les Pékans affrontaient une équipe dominante, forte à tous les niveaux. Sa fiche était déjà de trois victoires contre aucune défaite. La marche était haute pour Rimouski. Néanmoins, la victoire contre Lévis-Lauzon avait fait du bien au moral des joueurs. Ils étaient habités par le sentiment que le vent allait peut-être enfin tourner. Loiselle n'était pas aussi confiant. Malgré ses avertissements, il avait trouvé les gars un peu mous aux entraînements. Et, comme le dit l'adage, « on joue comme on pratique ». Il espérait, mais chercherait avant tout à minimiser les dommages.

Il avait eu tout le temps nécessaire pour peaufiner son plan de match, car son équipe venait de faire plus de quatre heures en autobus pour se rendre à Trois-Rivières. D'ailleurs, la ligue repoussait l'heure du botté d'envoi à 15 heures, soit deux de plus qu'à l'habitude, pour les parties impliquant de longs déplacements. Ils avaient quitté

Rimouski à 8 heures, ne faisant qu'un arrêt pour déjeuner : du McDo pour la plupart et des beignes pour quelques-uns. L'important était d'avoir du carburant pour bien entreprendre le match.

Comble de malheur, les Pékans devaient composer avec un soleil presque aveuglant de leur côté du terrain. Vu le succès de l'équipe locale, l'ambiance était festive grâce aux partisans massivement présents pour encourager leurs joueurs.

Les Pékans ne les avaient pas ratés, car il était assez difficile de ne pas remarquer leur gabarit. Ils étaient assez intimidants. Orgueilleux, Rimouski n'osait pas l'admettre jusqu'à ce que Jacob Boucher lance candidement : « Cibole ! Ils sont pas petits, l'autre bord ! »

– Butch ! Ferme-la, lui répondit Maxim le King. Tu vois le numéro 10 ? Son père vient juste de sortir de prison. Pis le gros 80, là-bas ? Sa sœur s'est fait prendre dans un réseau de prostitution.

– Max, t'es pas sérieux ? demanda Gauthier, incrédule.

Servant son deuxième match de suspension, le robuste bloqueur avait toutefois fait le voyage avec ses coéquipiers.

– Il faut toujours avoir le dessus de la guerre psychologique, mon ami ! répliqua le machiavélique maraudeur. *It's all part of the fun* !

Dans son gros costume de Pékan, il était plus difficile pour Marjorie de voir les petits gestes affectueux de Zak envers Victoria. Même si elle avait joué le rôle d'intermédiaire, elle ne pouvait plus ignorer ses sentiments envers son nouvel ami.

Pendant que Rimouski s'apprêtait à faire le botté d'envoi, Francoeur s'approcha de Duclair. Il lui glissa à l'oreille d'un ton enragé : « T'es fait, mon salopard ! Je te la laisse, mais tu vas payer pour l'autre jour. J'm'en fous de la *game*. Je sais qu'on n'a pas de chance. Prépare-toi à te faire secouer ! » Il lui tapa les épaulettes, un grand sourire au visage, puis s'éloigna.

Rapidement, les Pékans se trouvèrent dépassés par les évènements. Les Aigles venaient d'effectuer un impressionnant retour de botté de trente-cinq verges. Après deux jeux au sol et une passe de douze verges complétée, Trois-Rivières était à la porte des buts, soit à la ligne de quatre verges. La ligne défensive ne parvenait pas à la contenir, et ce, malgré un beau plaqué de P-A sur le porteur de ballon. Au jeu suivant, celui-ci fila hors l'aile vers la gauche pour esquiver le gros ailier et marqua le premier touché de la partie sans difficulté.

Le pressentiment de Loiselle se confirmait. Ses joueurs étaient débordés et l'attaque ne parvenait pas à faire mieux : c'était la panne sèche. Incapable de contenir la pression adverse, Francoeur n'arrivait pas à s'organiser et, lui qui n'aimait pas se faire frapper, il précipitait ses gestes, dont résultaient beaucoup de passes incomplètes. La grogne s'installait peu à peu parmi ses coéquipiers, qui étaient loin d'éprouver de la sympathie envers leur quart-arrière. Ses frasques hors-terrain faisaient jaser et divisaient l'équipe.

– *Come on,* les gars ! J'ai même pas le temps de lancer le ballon qu'ils sont déjà dans ma face !

– Ça n'arriverait pas si tu jouais comme un vrai *QB* ! répliqua Maillé.

– Pis si tu te donnais aux entraînements…, ajouta le petit Doucet, d'un ton moqueur.

– Contentez-vous donc de courir comme du monde au lieu de vous faire rentrer dedans dès que vous avez le ballon.

– J'pense qu'on n'a pas de leçons à recevoir de toi, Francoeur. T'aurais de fichues bonnes notes en plongeon, renchérit Duclair.

– Ferme-la. Sinon, Whittom pis moi on va s'en occuper.

À l'écart, le colosse écoutait les échanges entre ses coéquipiers.

– T'as besoin d'un garde du corps pour régler tes problèmes, Francoeur ? demanda Zak.

Frustré, Pierre-Antoine s'avança vers le groupe.

– Hey ! On est juste au premier quart ! Francoeur, ferme-la si t'as rien de constructif à dire. Concentre-toi sur la partie pis lâche Zak. Reviens-en ! *Let's go,* les *boys* !

– Le panda sort ses griffes !

– Francoeur ? Arrête ! On est tannés de t'entendre, s'interposa Whittom.

Contrarié, le quart-arrière quitta le groupe.

La fin du premier quart se termina par un pointage de vingt et un à zéro. Rimouski profita du changement de côté de terrain pour apporter quelques ajustements à la défense. Maxim Roy devait se positionner plus près de la ligne de mêlée qu'à l'habitude et on lui demanda d'être plus agressif sur le jeu au sol. Heureux, il ne demandait pas moins que se retrouver plus près de ses adversaires afin de leur lancer encore plus d'insultes.

– Les gars ! On se fait tuer par leur jeu au sol. On va jouer beaucoup de *man to man blitz*. Ça va nous permettre de jouer vite sans trop penser. Je vais essayer de mixer un peu de zones à travers ça pour que tout monde ait les yeux sur le ballon, mais en même temps, faut jouer agressif. King ? Tu vas tricher un peu. Je veux que tu te rapproches de la boîte, tu t'alignes quatre verges derrière les *backers* et, aussitôt que tu sens que c'est une course, tu fonces ! Les *DBs* ? Dorénavant, vous êtes sur une île. Utilisez vos techniques et restez en position intérieure sur votre receveur ! On redonne le ballon à notre offensive le plus de fois possible ! Plus ils prendront le ballon, plus on aura de chance, de faire des points ! ordonna Loiselle.

Les ajustements avaient porté leurs fruits. La défense des Pékans était beaucoup plus étanche qu'au premier quart. L'attaque se retrouvait avec leur meilleur positionnement de terrain depuis le début de la rencontre. À la ligne de quarante verges, ils tentèrent un jeu au sol. Zak ne réussit qu'à gagner deux minces verges. Frustré, il savait que Francoeur lui remettrait intentionnellement le ballon quelques fractions de seconde plus tard, ce qui l'empêchait de prendre pleinement son envolée. Pour le deuxième jeu, Loiselle opta pour une passe en tracé vers Maxim. Celui-ci piqua une course en angle de quarante-cinq degrés vers l'intérieur et, une fois débarrassé du demi-défensif qui le couvrait, il attrapa la courte passe de Francoeur. Seul, il fila jusqu'à la zone des buts pour une impressionnante course de soixante-huit verges ! Les Pékans s'inscrivaient au pointage.

Malheureusement, ce fut le seul moment de réjouissance pour Rimouski. Trois-Rivières rappliquait avec un dernier touché avant la fin de la mi-temps grâce à une interception auprès du quart-arrière. Steven Francoeur connaissait une partie exécrable et ses entraîneurs en prenaient bien note.

Pendant la pause, Loiselle tentait de maintenir la concentration de ses joueurs et veillait à ce qu'ils restent groupés. Il n'y avait rien de pire qu'un esprit de division au sein d'une équipe.

– C'est dans l'adversité qu'on reconnaît les vrais. Quand ça va mal, il faut se serrer les coudes et on laisse faire le pointage du doigt. On ne blâme aucun individu. On se bat en équipe !

Le troisième quart ne fut pas bénéfique pour les Pékans. Ils étaient incapables de générer quoi que ce soit à l'attaque. Les porteurs de ballon se faisaient frapper durement et les receveurs peinaient à le capter. Ils se retrouvaient constamment en situation de troisième essai et long. La confiance de Rimouski s'effritait alors que leur adversaire s'amusait sur le terrain. Les partisans étaient en liesse !

Cependant, la défensive s'était bien ajustée, réussissant à freiner le jeu des Aigles au sol. Ils s'en remettaient plus souvent au jeu aérien et, à force de cogner à la porte des buts, ils ajoutèrent quatorze points avec deux touchés par la passe au dernier quart. Le pointage final : quarante et un à sept.

Dans le vestiaire, c'était le silence complet. Alors qu'en début de saison les joueurs se foutaient de perdre, maintenant ils éprouvaient une certaine honte dans la défaite. Quant à Zak, il bouillait de colère. Il en voulait à Francoeur d'afficher une attitude si revancharde, quitte à faire couler son équipe. C'était inacceptable ! Toutefois, il était heureux de constater que Pierre-Antoine avait fait de beaux progrès.

Loiselle s'adressa calmement à ses joueurs :

– On s'est fait planter par la meilleure équipe de la ligue. C'est tout. On n'est pas les premiers et on ne sera pas les derniers. Enlevez-moi vos faces de chiens battus et changez-vous pour qu'on quitte enfin cette ville-là. On oublie la partie. On repart à neuf lundi. Vous avez intérêt à arriver avec une attitude de travaillants, parce que c'est pas vrai que je vais abandonner après seulement quatre parties. On a le temps de revenir. J'y crois. Mes assistants le croient. Croyez en vous aussi ! Rendez-vous dans l'autobus dans trente minutes. Rentrons à la maison...

CHAPITRE 13

Le retour en autobus fut long et pénible. Déçus de leurs prestations, les joueurs savaient qu'ils venaient de connaître un match affreux et que les chances de participer aux séries s'éloignaient. Ils devaient se ressaisir en vue de la prochaine rencontre. La semaine serait éprouvante, les entraîneurs aimaient souvent faire payer les joueurs pour une contre-performance. Zak quitta donc le vestiaire de l'équipe rapidement, préférant rentrer se reposer au lieu d'aller faire la fête avec quelques coéquipiers.

Alors qu'il ouvrait la porte de sa chambre, il surprit Cédrik en pleins ébats avec sa musicienne.

– T'es déjà arrivé ? J'pensais que tu rentrerais plus tard, dit-il.

– S'cuse... J'vais revenir plus tard..., suggéra Zak, mal à l'aise.

– Tu nous laisses une petite heure ? J'ai de l'appétit ce soir ! J'vais prendre plus qu'une assiette ! confessa-t-il en riant fortement.

Zak se retrouvait seul, épuisé et sans lit. Même si minuit approchait, la soirée était relativement chaude pour cette période de l'année.

« Probablement l'été des Indiens », pensa-t-il. Il texta Victoria : « Abandonné par C. Nulle part où aller. Dors-tu ? » « Non. Trop ankylosée par le voyage. Tu viens ? »

À sa grande surprise, elle l'invita à venir chez elle. Ses parents étaient absents pour la fin de semaine. Leur relation demeurait floue : ils se fréquentaient, mais ni l'un ni l'autre n'avait fait part de ses sentiments. Ils s'étaient embrassés, et une fois la main de Zak s'était aventurée sous sa camisole, touchant ainsi les seins fermes de la jolie blonde.

Il descendit de l'autobus de ville étrangement désert pour un samedi soir. Il parcourut une longue rue bordée de maisons assez imposantes. Les arbres bien rangés de chaque côté lui donnaient un aspect très cinématographique. Les feuilles en couleurs commençaient à s'amasser sur les trottoirs. Il avait repéré la maison de Victoria assez rapidement grâce aux briques peintes en jaune qui lui conféraient un air champêtre. Les instructions de son amie étaient précises : la rejoindre derrière, dans la cour. Il ouvrit doucement la porte de la clôture de bois qui encadrait la vaste demeure. Il s'avançait vers la superbe piscine creusée lorsque Victoria sortit du cabanon. Vêtue d'une robe de chambre blanche, elle déposa deux bières sur une petite table près de deux chaises longues.

– Tu viens ? Nous avons un chauffe-eau. Elle est parfaite.

– J'ai pas mon maillot.

– Moi non plus, dit-elle en riant.

Elle enleva lentement son peignoir, révélant son corps dénudé. Émerveillé, Zak trouvait que c'était la plus belle fille qu'il avait eu l'occasion de contempler. Victoria plongea dans l'eau.

– Tu viens me rejoindre ou tu restes planté là ?

Zak retira ses vêtements. Victoria contemplait le corps fin et ciselé de son compagnon. Il se lança à l'eau, sous la forme d'une « bombe », ce qui la fit rire. Ils s'observaient timidement, ne sachant pas trop qui oserait commettre le premier geste. Victoria se rendit dans la partie moins creuse de la piscine et, dès qu'elle se retourna, Zak sortit de l'eau tout près d'elle. Il lui mit les mains sur les hanches et il l'embrassa intensément. Son cœur battait plus vite alors que leurs corps se touchaient. L'excitation augmentait...

– Allez. On va monter dans ma chambre.

***

La chambre, de style *beach house*, était impeccablement rangée. Quelques affiches de groupes musicaux décoraient les murs bleu poudre de la pièce. Les deux amoureux s'enlaçaient dans le lit baldaquin de Victoria.

Zak posa la tête sur la poitrine de sa partenaire. Elle lui jouait dans les cheveux. Apaisés, ils se laissaient baigner par le profond silence qui régnait.

Zak se leva pour aller rejoindre la salle de bain qui se situait sur le même étage. Nu, il sursauta en voyant une dame pénétrer dans la pièce. Celle-ci cria en apercevant Zak.

– Maman ! s'exclama Victoria, alors qu'elle accourrait devant la pièce. Que fais-tu ici ?

– Euh... Ton père et moi sommes revenus plus tôt que prévu finalement.

Mal à l'aise, Zak tenta de se cacher du mieux qu'il pouvait.

– Qui est ce garçon ?

– Zak, je te présente Guylaine, ma mère. Maman, Zak.

– Ton beau joueur de football ? Pas mal, en effet.

– Maman ! réprimanda Victoria, visiblement gênée par la situation.

Elle remit une serviette à Zak qui s'empressa de la mettre autour de sa taille. Maurice, le père de Victoria, arriva à toute vitesse.

– Que se passe-t-il, ici ? demanda-t-il, époumoné.

– Rien, chéri. Victoria a un invité.

– Papa ? Vous n'étiez pas censés passer la nuit là-bas ?

– Bah. On préférait revenir pour dormir ici.

Une jeune ado de douze ans, Emmanuelle, se joignit à la scène.

– C'est lui ? T'es pas mal plus *shapé* en vrai que sur tes photos Facebook !

– Manu, fiche-nous la paix, OK ?

– Vic, ne parle pas comme ça à ta sœur !

– M'man, pouvez-vous nous laisser ? Je pense que Zak est assez traumatisé comme ça !

– Ben voyons !

– Les filles, laissons les amoureux tranquilles, ordonna Maurice.

– Merci, p'pa.

– Ravis de vous avoir rencontrés ! ajouta Zak.

Victoria lui lança un regard embarrassé. Clairement, elle était gênée, mais surtout désolée que Zak rencontre ses parents de cette manière. Celui-ci prenait la situation avec humour. Après tout, ils auraient pu se faire surprendre en pleins ébats !

Chapitre 14

Sans tambour ni trompette, Loiselle avait envoyé un simple texto : « Soyez prêts à 6 heures devant le Colisée de Rimouski. Sans uniforme. Pas 18 heures ! »

C'était le pire des supplices. À cette heure matinale, le corps ne cherche qu'à se recroqueviller sous les couvertures d'un lit douillet. De plus, c'est tellement tôt qu'il vaut mieux ne pas déjeuner, sinon il y a de fortes chances de tout vomir. Il faut alors s'entraîner l'estomac vide, ce qui brûle l'œsophage et la gorge !

Alors que les derniers joueurs s'étaient joints au groupe, Loiselle sortit du bel édifice vitré situé en plein centre-ville. L'aréna avait été construit en 1966 et, depuis 1995, il était le domicile du club de hockey de la Ligue junior majeure du Québec, l'Océanic. Cette équipe avait su gâter son public dans les années précédentes en accueillant de futurs grands noms du hockey comme Vincent Lecavalier, Brad Richards et Sydney Crosby. Les dirigeants avaient installé une culture de champion. C'est ce que Loiselle tentait d'instaurer au sein de sa bande. À ses yeux, la dernière défaite était impardonnable et il voulait mettre fin au jeu égoïste de certains joueurs.

– Pas de grasse matinée aujourd'hui. On dit que l'avenir appartient à ceux qui se lèvent tôt. Je vous avertis que sans effort vous détesterez encore plus les matins. C'est à vous de décider. Une défaite comme celle de samedi, je n'en veux plus. Vous êtes capables de mieux et vous le savez, même si c'était contre l'équipe championne. Vous avez abandonné et ça, je ne l'accepte pas. Vous voulez lâcher ? Allez-y. Partez maintenant. Je ne vous retiendrai pas. Mais si vous entrez ici ce matin, vous êtes à moi. Votre cœur est à l'équipe. Peu importe les différences qui vous séparent, vous enterrez la hache de guerre. Je veux une équipe unie avec des joueurs prêts à aider leurs coéquipiers ou mourir pour eux. Vous avez choisi un sport d'équipe, alors agissez comme une équipe, bordel ! Qui parmi vous sont de vrais Pékans ?

Chacun des joueurs leva la main. Pierre-Antoine s'avança.

– Je suis un Pékan. Go Pékans ! Go ! cria-t-il à quelques reprises.

Son cri du cœur résonna auprès des autres qui reprirent la même phrase à tour de rôle.

– Parfait. Je compte sur vous. Ce matin, une demi-heure de montée et de descente de marches, ordonna l'entraîneur.

Résignés, les joueurs commencèrent l'expiation de leurs péchés !

***

La semaine avait démarré intensément, mais Zak s'inquiétait du silence de Victoria. Ils s'étaient échangé quelques textos laconiques, sans plus. Il cherchait désespérément à la revoir, mais elle lui répondait qu'elle avait une semaine chargée, qu'ils se reverraient bientôt.

Pendant le cours de français, il chuchotait avec Marjorie qui tentait de lui apporter des conseils.

– Madame Lacroix et monsieur Duclair ! Que la teneur de vos conversations doit être capitale pour que vous ne portiez pas votre entière attention sur mon exposé ! Vos confidences deviennent de plus en plus fréquentes. Après tout, peut-être n'aimez-vous point les classiques ? intervint Yvon Roy.

Gênée de s'être fait coincer, Marjorie devint rouge et fixa son cahier de notes.

– Non, monsieur. J'ai juste connu une semaine un peu spéciale. J'espérais une oreille attentive, répondit Zak.

– Sachez que Roméo commit l'infâme après la mort de son oreille attentive, Mercutio ! Vos problèmes se comparent-ils à son amour impossible pour Juliette ?

– J'en doute. Je vous donne mon attention, monsieur.

– Bien. J'attends de vous et de madame Hermione Granger un peu plus de discipline. Nous ne sommes pas à Poudlard ici ! Il n'y a pas de complots à déjouer ! Contrairement aux pièces de Shakespeare ! Donc, Vérone en Italie, a priori un couple au destin opposé qui ne peut tomber amoureux…, reprit le professeur.

En dehors de la classe, Marjorie et Zak éclatèrent de rire devant l'avertissement de leur professeur. Même que Zak tentait d'imiter sa voix pompeuse :

– Alors madame Granger ? Que me suggérez-vous pour la suite avec Victoria ?

– J'avoue que je ne la comprends pas. Clairement, c'est elle qui a fait les premiers pas.

– Je suis parti avec l'impression qu'elle avait aimé ça.

– Essaie pas de nous comprendre. On n'y arrive même pas nous-mêmes !

– Donc, qu'est-ce que je fais ?

– Prends-la par sa passion : la musique. Tu dois avoir un autre entraînement avec P-A, non ? Elle peut sûrement vous montrer à bouger plus aisément.

– De quoi tu parles ?

– Zak ! Vous n'avez pas de rythme ! Vos déplacements en défensive sont laborieux. Il vous faut du *groove,* comme des danseurs.

– Quoi ? On joue au foot, on ne fait pas de la claquette !

***

Zak aidait Victoria à libérer de l'espace dans le petit studio. Il avait réussi à la convaincre de mener ce petit exercice d'initiation à la danse auprès de Pierre-Antoine. Alors qu'elle préparait sa sélection de musique, Zak s'approcha d'elle. Il la prit par la taille, pour ensuite l'enlacer. Elle semblait distante. Ce n'était pas la même fille que celle de leur soirée enflammée.

– Qu'est-ce qui se passe ? demanda Zak. Ce n'était pas bien, l'autre soir ?

– Oui. C'est juste qu'en ce moment, je ne cherche pas un amoureux. Je ne désire pas être en couple.

– OK.

– Je ne te fais aucune promesse.

– Je suis prêt à te prendre comme tu es. J'ai du plaisir avec toi.

– Merci de ne pas me juger.

Elle serra Zak fortement contre elle et ils s'échangèrent un baiser qui était empreint d'une certaine mélancolie. Zak ne savait pas comment l'interpréter, mais il respecterait sa parole. Il ne tenterait pas de comprendre les sentiments de Victoria.

Pierre-Antoine ouvrit la porte, suivi des jumeaux Rioux, à la grande surprise de Zak. P-A lui expliqua qu'il n'avait guère eu le choix de les amener, puisque Cédrik leur avait tout raconté. Duclair accepta qu'ils restent, à condition que l'exercice se déroule sérieusement. Les Rioux donnèrent leur parole.

Victoria plaça la bande en ligne et démarra la chanson *Stayin'Alive* des Bee Gees.

– Rien de tel que du disco pour apprendre le déhanchement ! Faites comme moi !

Elle bougeait ses hanches et ses jambes comme John Travolta dans sa jeune époque. Au début, les gars demeuraient assez raides. Victoria s'assura de les mettre à l'aise chacun à leur tour et, tranquillement, leurs pas de danse devenaient plus gracieux et leurs sourires, radieux.

***

La soirée disco s'était avérée plutôt peinarde comparativement au dernier entraînement. Loiselle ne les avait pas ménagés. Il s'apprêtait à enfoncer le dernier clou dans le cercueil de l'orgueil de Francoeur.

Après les exercices usuels, Loiselle réunit les gros gaillards de ses lignes offensives et défensives. Il refila un ballon à Francoeur.

– Les gars ! Chacun votre tour, vous allez rentrer dans Francoeur. Francoeur ! T'as bien compris ? Tu ne bouges pas. Tu te laisses frapper.

Steven voulut protester, mais le ton dur de son entraîneur ne laissait la place à aucune négociation.

– Francoeur ! Tu vas apprendre c'est quoi, se faire plaquer. Tu vas apprendre à rester dans ta pochette plus longtemps et à prendre le *hit*, si nécessaire ! J'en veux plus, de poules mouillées, dans mon équipe !

Contrarié, Francoeur encaissa un à un les sacs qu'il recevait. Même Whittom dut le plaquer, et ce, sans ménagement, sous les ordres de l'entraîneur.

Loiselle avait été sur le cas de son quart-arrière vedette toute la semaine. Il ne lui avait donné aucune marge de manœuvre et critiquait ses moindres gestes. À la fin, il fit cette annonce :

– Les gars, dernière petite chose avant le match de demain. Y'a un gars qui travaille toujours fort, qui ne dit jamais un mot, un vrai gars d'équipe. Pis ce gars-là va finalement avoir sa chance de jouer demain. Je m'attends à ce que tout le monde le soutienne... et j'ai bien dit tout le monde, insista Loiselle en regardant Francoeur. Bravo Simon, c'est toi le quart-arrière partant demain !

Insulté, Francoeur broyait du noir tandis que ses coéquipiers étaient surpris de cette décision.

– C't'une joke ? C'est quoi l'affaire ? C'est n'importe qu...

– La ferme, pis écoute-moi bien, coupa Loiselle. Pour l'instant, Simon est le partant et il va jouer tout le premier quart. C'est clair ?

Francoeur quitta les lieux et se dirigea vers le vestiaire. Isolé dans un coin, il prit le temps de se calmer. Après une douche bien méritée, il osa frapper à la porte du bureau de Loiselle.

– *Coach* ? J'veux juste comprendre.

– Écoute-moi sérieusement. Tu as du talent. Honnêtement, je sais pas si tu peux devenir pro. Mais ici, t'as ce qu'il faut pour gagner. Pour nous faire gagner. Peut-être qu'après le cégep, tu vas aller vendre des chars avec ton père. On contrôle pas l'avenir, mais le présent, oui. On connaît pas le résultat, mais on peut tout donner pour tenter de l'influencer. Moi, j'ai triché avec le destin. J'ai tout perdu sans avoir même vraiment débuté. Donne-toi une chance. Essaie d'être un meneur positif.

Notre meneur. Les gars vont se rallier, mais ça, il faut le mériter. Montre-moi que j'ai tort. C'est tout ce que je te demande.

Francoeur se tenait dans le cadre de porte, silencieux face aux commentaires de Loiselle.

– Allez. Va te reposer. On a un gros match demain.

– Oui, *coach.*

Chapitre 15

Le début de l'automne était définitivement arrivé. En quelques jours, les feuilles s'étaient mises à changer de couleur et le vent devenait plus froid. Malgré ce temps automnal, c'était l'occasion rêvée pour Rimouski de revenir avec une victoire, d'autant plus que leur vétéran, Danick Gauthier, réintégrait l'alignement. Les Pékans affrontaient les As de Limoilou, une équipe de bas de classement qui venait de se farcir quelques heures d'autobus. Indisciplinée, cette équipe jouait durement et écopait de beaucoup de punitions. S'ils possédaient une défensive poreuse, les As avaient toutefois comme atout un excellent receveur-retourneur, très agile. Leur porteur de ballon serait à surveiller également.

Dans le vestiaire, Francoeur s'attendait à échanger quelques mots ou, du moins, à recevoir quelques regards approbateurs de ses amis qui remettraient en cause la décision de Loiselle. Rien. Les gars s'étaient donné le mot de ne pas embarquer dans le jeu et de se préparer normalement comme lors de n'importe quelle partie. De toute manière, la plupart en avaient marre de ces jeux de pouvoir. Même ses alliés le désertaient.

– Whittom ? Dis-moi que tu es de mon bord, supplia le quart-arrière.

Prudent, le gigantesque plaqueur tentait de se faire discret.

– C'est allé trop loin. Loiselle a raison. On est plus au secondaire. Qu'est-ce qu'on prouve en s'en prenant aux recrues ? Rien. On est une équipe. On devrait agir comme tel.

Frappé par les paroles de son ami et isolé dans le vestiaire, Steven enfilait silencieusement son uniforme.

Sur le terrain, les murmures commençaient à se faire entendre alors que Simon Dion pratiquait avec l'unité partante. Beaulieu s'étouffa presque avec son popcorn en voyant le quart-arrière substitut à la place de Francoeur. D'ailleurs, il ne tarda pas à répandre la nouvelle sur les réseaux sociaux.

Steven essayait tant bien que mal de rester calme malgré l'humiliation publique qu'il ressentait. Il encourageait ses coéquipiers même s'il était ébranlé mentalement. Loiselle le savait bien. Il espérait que ce sentiment d'insécurité ferait ressortir son côté compétitif et qu'il deviendrait enfin un meneur positif plutôt qu'une nuisance pour son équipe.

En début de partie, tous les yeux étaient rivés sur Dion et l'unité offensive. La défense des As, consciente du changement, s'en donnait à cœur joie en lançant insultes et menaces pour déstabiliser le jeune joueur. Timide, celui-ci tentait de rester calme et d'effectuer simplement les jeux un à la fois. Rapidement, les Pékans gagnèrent les deux premiers jeux au sol avec de belles courses de Duclair et Maillé. Limoilou comprit la stratégie de son adversaire et resserra sa boîte défensive. Même si Rimouski fournissait un bel effort, le synchronisme offensif n'était pas le même sans Francoeur, surtout sur les jeux de passe qui laissaient à désirer. Tout au long du quart, Loiselle jetait des coups d'œil à Steven, qui se montrait discret.

Les Pékans jouaient nerveusement et les As en profitèrent pour inscrire deux touchés. Avec une minute à jouer avant la fin du premier quart, Loiselle interpella Steven :

– Francoeur ? Commence à t'échauffer. T'embarques pour le deuxième.

– Oui, *coach* ! répondit-il, le feu dans les yeux.

Alors que Simon regagnait les lignes de côté, Loiselle lui glissa quelques mots d'encouragement :

– Dion ? *Good job.* Tu t'es bien débrouillé pour une première expérience. Ce n'était peut-être pas une situation idéale pour débuter, mais je suis fier de toi.

L'unité défensive amorça le deuxième quart en force : trois jeux de suite et les As étaient forcés de dégager. Pour les Pékans, Doucet transporta le ballon jusqu'à la ligne de quarante verges après une belle course.

Les partisans, qui se faisaient plus nombreux, applaudirent l'arrivée de Francoeur sur le terrain. Il s'approcha de Zak et ils se regardèrent un court instant, jusqu'à ce que Steven lui tape dans la main, signe d'encouragement.

– Les *boys* ! J'ai faim. Faim pour une victoire. *Let's go* ! On démarre la machine ! Z *motion 32* balayage à droite. Sur 1. *Ready* ?

Le jeu du balayage de Zak leur permit de récolter quatre verges. Ensuite, Maxim Roy capta une petite passe rapide, mais le troisième jeu échoua alors que le receveur éloigné, Alex Dufresne, échappa le ballon. C'était une passe incomplète. Les Pékans se retrouvaient en position d'un quatrième jeu avec deux verges à franchir. Loiselle opta pour la prudence en y allant pour le botté de dégagement.

Quand Limoilou reprit le ballon en attaque, les entraîneurs avaient anticipé que la défensive de Rimouski jouerait agressivement pour redonner rapidement la chance à Francoeur de combler le déficit de quatorze points. Ils tentèrent un jeu truqué : un balayage à leur gauche, du côté large du terrain.

La défensive lut leur jeu et les joueurs foncèrent avec rage sur le porteur de ballon des As. Celui-ci ne semblait pas attaquer la ligne de mêlée pour gagner du terrain, mais demeurait plutôt en recul. Il se transforma en quart-arrière tandis qu'il lançait le ballon vers le fond du terrain, où se trouvait un receveur, seul. Aligné à la droite du jeu, il avait traversé le terrain au complet, déjouant habilement la couverture de la tertiaire. Il inscrivit aisément un troisième touché pour Limoilou qui porta le pointage à vingt et un à zéro.

De retour au banc des joueurs, la tertiaire se fit ramasser par les entraîneurs, visiblement irrités par leur tenue en défensive.

– Les *DBs*, votre job c'est la passe ! Vous n'avez pas besoin d'être aussi agressifs que les secondeurs ! *COME ON* ! On laisse jamais un joueur adverse derrière nous sur le terrain, même si on pense que c'est un jeu au sol ! C'est du secondaire, ça !

La vérité, c'est que Loiselle s'était fait avoir et il le savait bien. Il éprouvait l'un des pires sentiments qu'un entraîneur puisse ressentir : celui de s'être fait ridiculiser sur un jeu. Dans l'esprit de bâtir une équipe sur des bases solides, il pila sur son orgueil et rassembla l'unité défensive pour lui adresser un mot :

– Écoutez bien : ce dernier jeu-là, je le prends sur mes épaules. C'est moi qui vous ai mis dans une mauvaise position. J'ai demandé à votre coordonnateur défensif d'y aller avec beaucoup de pression. Alors on oublie et on tourne la page. On est dans ce bateau-là ensemble. Je vous laisserai plus tomber ! Promis !

Impressionnés par l'humilité et la transparence de Loiselle, les joueurs avaient encore plus le goût d'aller à la guerre pour lui. Même s'il avait connu une semaine difficile, Francoeur menait la charge comme un quart-arrière le doit. Malgré le retard de trois touchés, il continuait d'afficher une belle constance et l'attaque se faisait de plus en plus menaçante. D'ailleurs, les Pékans s'étaient rendus à la ligne de vingt-trois verges dans le territoire de

Limoilou. Ils menaçaient sérieusement les As pour la première fois de la partie.

Puisque le jeu au sol donnait de bons résultats jusqu'à présent, les entraîneurs continuaient de miser sur les courses de Zak. La plupart des gains avaient été accumulés de cette façon ou grâce à des jeux de balayage auprès du coin de la ligne d'attaque. Loiselle opta pour un jeu à contre-courant afin de surprendre la défensive en donnant l'impression que la course irait d'un côté alors qu'elle se dirigeait de l'autre. Whittom, qui arrivait en sens inverse du mouvement de la ligne d'attaque, un *pull*, fit un énorme bloc sur le coin de la ligne. Zak, effectuant de belles esquives, fila droit dans la zone payante. Touché Rimouski ! À la mi-temps, le pointage était vingt et un à sept pour Limoilou.

De retour sur le terrain, Zak et sa bande demeuraient persuadés de pouvoir remonter la pente. Ils débutèrent le troisième quart avec détermination, espérant donner un nouveau ton au match. Dès la première série de jeux qui leur procura près de soixante verges, ils marquèrent un touché sur un jeu au sol de sept verges grâce à une superbe course de Zak, son deuxième de la partie. Il avait bénéficié d'un impeccable bloc du centre-arrière, Jérémie Maillé.

La ligne défensive contribua également par de beaux jeux. Le fougueux Maxim « King » Roy intercepta le quart adverse et remonta le terrain jusqu'à la ligne de trente-cinq verges de Limoilou. Comblée par la performance de son équipe, la foule explosa de joie. Cette dose d'énergie contamina les joueurs sur le banc.

Malheureusement, les réjouissances furent de courte durée. Limoilou resserra la défensive, empêchant Rimouski de compter le touché égalisateur. L'« échalote » Morin réussit tout de même un placement, bon pour trois points. Le botté donna quelques sueurs froides à Loiselle alors qu'il déviait légèrement vers la droite à cause du vent. Finalement, le ballon resta à l'intérieur des poteaux verticaux. Les Pékans accusaient maintenant un retard de seulement quatre points avec un dernier quart à disputer.

Les deux équipes refusaient de céder et s'échangèrent un touché chacun. Avec moins de deux minutes restant au cadran, l'attaque des Pékans s'apprêtait à entamer une série offensive, leur dernière chance de gagner le match. Ils avaient besoin de ce touché. À la mi-terrain, Zak réussit quelques verges suivies d'une courte passe captée par le receveur éloigné Benjamin Pelletier. Les Pékans se trouvaient ainsi en situation d'un troisième essai et d'une petite verge à gagner. Avec une minute et quelques poussières à faire, Loiselle décida d'y aller avec une remise au centre-arrière directement au milieu de la ligne afin d'obtenir rapidement un premier essai. Limoilou envoya ses deux secondeurs intérieurs en *blitz* et, une fois le ballon levé, celui de droite profita du bouchon pour sauter par-dessus la ligne de mêlée. Il fit lâcher le ballon à Maillé, ballon que les As réussirent à récupérer. Rimouski était sous le choc. Les entraîneurs et les joueurs voyaient la partie leur échapper sur un jeu de routine tandis que leurs adversaires jubilaient. Pour comble de l'insulte, l'équipe de Québec inscrivit un touché dans les dernières secondes du match, portant le résultat final à trente-cinq à vingt-quatre.

Malgré le revers, Loiselle avait retenu beaucoup de positif qu'il tenta de partager à ses joueurs dans le vestiaire. Ils avaient tout de même remporté la deuxième demie en nombre de points. Ils devaient non seulement travailler leur constance, mais aussi leur confiance, ce qui différencie souvent une bonne d'une excellente équipe. La prestation endiablée et surtout l'attitude de Francoeur laissaient présager une meilleure fin de saison. Saison qui se jouerait avec le prochain match sur la route, à Montréal, occasion en or pour se regrouper.

Chapitre 16

Loiselle jouait gros. Malgré les points positifs du dernier match, les Pékans venaient tout de même de subir une autre défaite, la quatrième de la saison en seulement cinq parties disputées. C'était une fiche peu enviable. Ils allaient se présenter devant la foule de Montréal, le week-end suivant, pour affronter une équipe qui, elle, détenait une fiche inverse, soit quatre victoires et une seule défaite. La tâche ne s'annonçait pas facile. Peu croyaient aux chances des Pékans de faire les séries.

Pourtant, l'entraîneur osa demander au directeur du cégep un budget supplémentaire pour que son équipe demeure à Montréal un deuxième soir :

– Monsieur le directeur, nous sommes à un tournant de notre saison. Les gars commencent à ramer dans la même direction. Il y a eu beaucoup de progrès. On a besoin d'une activité qui va tisser des liens encore plus solides. Le match à Montréal est à 13 heures. On prendra pas le chemin du retour avant le début de la soirée, alors j'aimerais avoir votre permission pour laisser mes gars décompresser après la partie et de nous permettre de coucher à l'hôtel un deuxième soir.

– Loiselle, soyez raisonnable ! Premièrement, nous avons tout juste le budget pour leur payer les chambres la première nuit ! Une quarantaine de gars d'à peine dix-huit ans, ça risque de virer en *party* et la moindre folie peut devenir une mauvaise publicité pour notre établissement. Alors c'est non.

– Je comprends votre point de vue et je m'attendais à cette réponse. Par contre, je crois en mon équipe et je sais de quoi elle est capable. Je suis prêt à mettre ma tête sur le billot pour ces jeunes-là. Me permettez-vous au moins de défrayer les coûts de la deuxième nuitée ? Je sais ce que ça implique, mais j'y tiens sincèrement. On peut réussir à remettre le programme dans la bonne direction.

– Êtes-vous certain ? Avec notre fiche ? Vous ne croyez pas que vous mettez suffisamment de votre temps dans cette équipe ? Que voulez-vous prouver ?

– Rien.

– La rédemption ?

– Je veux gagner.

Le directeur accepta la contre-proposition, non pas sans avoir hésité quelques instants. Il fut très clair avec Loiselle que lui, et lui seul, allait être tenu responsable si la situation dégénérait.

Les joueurs étaient heureux de l'annonce de la prolongation du séjour. Pour Pierre-Antoine, il s'agissait même de sa première visite dans la métropole. Zak, lui, était anxieux d'y retrouver ses parents après quelques mois d'exil. Ils s'étaient bien échangé quelques textos et sessions de Facetime, il espérait tout de même que tout se déroule sans anicroche, surtout avec sa mère avec laquelle il vivait certaines tensions.

Ravi de la réponse de ses joueurs, Loiselle gardait le silence au sujet de la méthode prise pour obtenir cette permission. Même si l'entraîneur avait affiché une attitude positive toute la semaine, ça ne l'empêcha pas d'être dur avec son équipe et celle-ci le lui rendait bien en démontrant une grande intensité pendant les entraînements.

***

Ils quittèrent donc Rimouski le vendredi en fin d'après-midi. Le voyage se déroula agréablement malgré six longues heures d'autobus. Des joueurs en profitèrent pour regarder des films sur le football, question de s'inspirer ! D'autres écoutaient de la musique, lisaient ou dormaient. Vu la longue la distance parcourue et les coûts plus élevés que cela engendrait, les meneuses de claques n'avaient pas accompagné l'équipe. Par contre, Victoria et quelques autres d'entre elles rejoindraient les joueurs le lendemain, pour la partie.

Arrivés à l'hôtel, les joueurs enfilèrent leur maillot de bain et profitèrent de la piscine pour se délier les muscles. Heureusement qu'ils étaient seuls, car la bande causait une véritable agitation ! L'eau sortait allégrement du bassin alors qu'ils s'éclaboussaient ou s'amusaient à faire les plus grosses bombes. Loiselle était même intervenu pour calmer leurs ardeurs, mais Maxim Roy le piégea et le fit tomber à l'eau sous les rires de ses coéquipiers. L'entraîneur accepta de se laisser prendre au jeu.

Au souper, les joueurs se ruèrent sur le buffet telle une horde de lionnes pressées d'en finir avec leur proie. Les Rioux et Whittom se servaient même deux assiettes à la fois. Plus raisonnable, Francoeur abusait rarement de la malbouffe. Il ne voulait pas déformer sa silhouette de mannequin. Finalement, P-A les battit tous en se servant au total six assiettes !

Ils dormaient à quatre par chambre. Loiselle les avait bien prévenus que cette soirée se déroulait à l'hôtel. Personne ne sortait. Il tenait à ce que ses joueurs soient prêts pour la partie contre les Dragons de Montréal.

Dans sa chambre, Zak textait avec Victoria et, de temps à autre, il recevait une imbécillité de Cédrik. Jérémie et Marc-Stéphane regardaient les nouvelles du sport à la télévision quand le groupe entendit une voix masculine, digne d'un chanteur de musique soul, en provenance de la douche. Ils s'esclaffèrent un instant mais, à leur grand étonnement, constatèrent que Pierre-Antoine avait vraiment une belle voix ! Jérémie prit son cellulaire et l'enregistra. Une fois la mélodie terminée, P-A sortit de la douche sous l'indifférence totale de ses amis. Les deux gars s'échangèrent un court regard et, ensemble, ils entonnèrent la sérénade que P-A venait de chanter. Embarrassé, il leur fit jurer de ne rien dire sur son talent caché.

– En tout cas, si ta carrière de foot n'aboutit pas, tu pourras toujours participer à La voix ! ricana Jérémie. J'ai déjà ton nom d'artiste : Big P !

– Très drôle, Maillé.

– Si on perd, je mets ça sur le net !

Zak reçut un message texte de Marjorie pendant que ses compagnons de chambre s'envoyaient des railleries.

Plus tard, alors que le couvre-feu entrait en vigueur, Zak mit au défi ses amis de faire le coup de la main plongée dans l'eau tiède à Marc-Stéphane qui dormait paisiblement depuis un certain temps. Jérémie filmait, accompagné des fous rires de Zak et P-A qui tentaient de se contenir du mieux qu'ils pouvaient.

Au bout de quelques minutes, leur compagnon se releva en sursaut, bondissant hors du lit pour se précipiter aux toilettes.

– Vous êtes pas drôles ! lança-t-il en refermant la porte derrière lui.

Au même moment, quelqu'un cogna à la porte. Il s'agissait de Maxim.

– Les gars, venez-vous avec moi ? Les *coachs* dorment. Je vais faire un tour dehors.

– Max ! Retourne te coucher, ordonna Zak.

– Tu vas nous mettre dans le trouble ! ajouta Jérémie.

– Allez ! Une petite saucette au centre-ville et on revient !

– Max ! Si tu sors, demain je vais t'écraser dans le vestiaire et tu pourras plus jouer ! menaça P-A, au travers de la porte.

– OK. C'est bon. Je retourne à ma chambre.

– Parfait. Bonne nuit.

Dans le corridor, Maxim se tourna vers Loiselle, ravi.

– Bon. J'peux aller me coucher maintenant ? Tout le monde a respecté la consigne !

Chapitre 17

Au matin, Loiselle avait convoqué les gars pour une rencontre d'équipe hâtive suivie d'une autre pour chacune des unités, afin de réviser le plan de match une dernière fois. Les joueurs s'étaient ensuite dirigés vers le buffet où tous les plats d'un parfait déjeuner les attendaient : œufs, bacon, saucisses, jambon, crêpes, fèves au lard et plus encore ! Comme s'ils ne s'étaient pas assez nourris la veille, les Rioux, Whittom et P-A s'empiffrèrent joyeusement.

Une fois la panse bien remplie, tout le monde entra dans l'autobus en direction du stade. L'équipe avait la chance de jouer dans le magnifique stade des Carabins de l'Université de Montréal, niché à l'ouest du parc Mont-Royal dans le quartier Outremont. D'ailleurs, plusieurs recruteurs des différents programmes de football universitaires venaient régulièrement épier les joueurs qui s'y présentaient. Les Pékans avaient donc une double motivation pour renouer avec la victoire.

Pour Zak, le retour à la maison était spécial, et il aperçut son père, canne à la main et ralenti par sa maladie, prendre place dans les gradins avec quelques membres de sa famille et de vieux amis du secondaire. À la suite d'un bref échange de regards et un *thumb's up* du paternel, Zak retourna auprès de ses coéquipiers. Victoria, partie tôt de Rimouski, était arrivée avec quelques filles de son escouade pour encourager son équipe. Elle échangea un câlin avec Zak et lui souhaita de disputer le match de sa vie.

La foule était bruyante et manifestait beaucoup d'énergie. Il était impératif pour Rimouski de s'inscrire rapidement au pointage. Elle ne devait pas permettre à son adversaire de profiter de sa lancée. Pourtant, gonflés à bloc par leurs partisans, les Dragons commencèrent la partie en force. Ils réussirent quelques bons jeux de passe lors de leur première séquence offensive et franchirent la mi-terrain, pénétrant même en territoire des Pékans. Par contre, la défense de Rimouski se resserra au bon moment et elle força Montréal à dégager.

Frodon Doucet capta le ballon profondément dans son territoire et, alors qu'il voulait s'avancer, il se fit plaquer immédiatement. Francoeur amorça donc la riposte offensive à la ligne de douze verges. Loiselle appela en premier à un jeu au sol exécuté à merveille par Zak, qui gagna sept verges à sa première portée avec une belle course vers la droite. La séquence se poursuivit à nouveau avec le porteur de ballon qui, cette fois-ci, réussit un jeu au coin gauche de la ligne à l'attaque. Premier jeu : Pékans. Ils continuèrent à obtenir des verges par la course, la défensive incapable de contenir Zak qui connaissait sa meilleure partie de la saison, motivé par la présence de son père.

Au deuxième essai et quatre verges à franchir, Loiselle jugea opportun de changer de stratégie en optant pour une feinte de remise suivie d'une longue passe à Dufresne, l'un de ses receveurs. Celui-ci demeura seul à sa droite tandis que Loiselle plaça les trois autres vers la gauche. Les deux porteurs de ballon, Zak et Jérémie, devaient absolument réussir leur mouvement vers la gauche afin de convaincre la défensive de Montréal que le jeu allait se déplacer dans cette direction. À la remise, Francoeur exécuta sa feinte avec précision et les deux porteurs firent semblant de courir. Quant à Dufresne, il avait amorcé un tracé et changea subitement de direction alors que son quart-arrière avait toujours le ballon. Il battit son couvreur aisément et attrapa la bombe de Francoeur pour un gain de soixante-dix verges. Les Pékans étaient à la porte des buts. Ils inscrivirent un touché sur le jeu suivant avec une belle course de Maillé et prirent les devants sept à zéro.

Au deuxième quart, le jeu se resserra quelque peu. Montréal répliqua avec un touché et un placement causé par un revirement coûteux. À la fin de la demie, Rimouski réussit une bonne séquence à l'attaque. Deux belles passes captées par Dufresne et Pelletier permirent à Morin d'effectuer un placement également, bon pour trois points, créant l'égalité tout juste avant la pause, à la grande satisfaction de Loiselle.

– J'ai pas grand-chose à dire, les gars. Je pense que vous le voyez comme moi, on peut rivaliser avec n'importe quelle équipe de la ligue quand on joue NOTRE football. Trente minutes de jeu, c'est tout ce qui nous reste. On continue !

À la reprise, Les Pékans recevaient le botté qui fut capté par Doucet. Positionné derrière Jérémie Maillé, il se tenait près de ses coéquipiers qui formaient le mur de bloqueurs. Le retourneur rapide rapporta le ballon jusqu'à la ligne de trente-cinq verges. Un beau retour pour commencer la deuxième demie, mais l'excitation de ce bon départ fut de courte durée. Doucet ne s'était pas aperçu que Maillé restait étendu au sol après le jeu. Gémissant de douleur, il se tenait le genou droit. Loiselle savait que c'était sérieux. Il envoya le physiothérapeute ainsi que quelques joueurs, dont Zak, à ses côtés pour tenter de l'aider.

– *Come on* Jay, lève-toi ! *Let's go,* dit Zak, d'un ton inquiet.

– Mon genou ! Arrrghhh ! Mon genou ! Je suis sûr qu'il est pété ! Ça fait tellement mal !

– Doc ? demanda Zak.

Pendant que le physio s'occupait de Jay, les joueurs de Montréal et de Rimouski s'agenouillèrent au sol. Malheureusement pour le robuste attaquant, les tests préliminaires semblaient indiquer une déchirure du ligament croisé antérieur. Les frères Rioux se chargèrent de le transporter à l'extérieur du terrain sous les applaudissements de la foule et les encouragements de ses coéquipiers.

– Dion ! Tu prends la place de Maillé, lui annonça l'entraîneur.

– Je vais avec Maillé à l'urgence. Il pourra au moins recevoir un bandage et des sédatifs contre la douleur. Je te tiens au courant, dit le soigneur à Loiselle, peiné pour son joueur.

Au-delà du fait qu'un ami s'était blessé, les Pékans venaient de perdre un joueur important, spécialement pour le jeu au sol. Jay était constant et physique. Loiselle dut s'ajuster offensivement, car les jeux suivants n'allaient nulle part. La blessure de Maillé avait eu comme effet de refroidir les troupes et de tuer l'élan des Pékans. Sur les lignes de côté, le vétéran Danick Gauthier s'adressa à l'unité défensive :

– Les gars, ils ont sorti Jay ! Ils vont payer le prix ! L'attaque va peut-être avoir plus de misère sans lui, alors c'est à nous de donner le ton à présent ! On prend cette *game*-là sur nos épaules à partir de MAINTENANT ! Pour Jay !

Les paroles de Danick secouèrent les joueurs. Quelques minutes plus tard, P-A effectua une belle feinte devant son bloqueur et s'étala de tout son long sur le quart-arrière de Montréal, qui échappa le ballon. Recouvert par William Rioux, Rimouski reprit le ballon. Les frères Rioux et Étienne Whittom avaient vraiment réussi à élever leur jeu d'un cran. Sur une course au centre, ils quittèrent rapidement la ligne de mêlée pour aller bloquer les secondeurs au deuxième niveau. Le contact fut si violent qu'on aurait cru entendre deux détonations dans le stade quand les casques se frappèrent. La foule réagit en y allant de murmures sourds. Avec deux des trois secondeurs sur le dos, la voie était libre pour Zak qui réussit à gagner quatorze verges. Après une belle poussée offensive, ils inscrivirent enfin un touché grâce à une superbe passe de Francoeur en croisé en direction de Marc-Stéphane Morin. Dix-sept à dix pour les Pékans dans cette deuxième demie âprement disputée.

Rimouski affichait de la hargne et, pour une fois, les joueurs s'étaient serré les coudes dans l'adversité. Ils déstabilisaient les Dragons par leur vitesse, laissant Montréal complètement impuissante. Défensivement, les gars jouaient très physique, peut-être un peu trop même. Sur un jeu de passe, Montréal lança le ballon profondément au centre du terrain, mais il se retrouva trop élevé pour le receveur. Maxim Roy, qui gérait parfois difficilement son agressivité, vit le receveur des Dragons en position vulnérable, la tête et les bras dans les airs. Son idée était faite. Il se fichait de la passe. Tout ce qu'il voulait, c'était frapper de plein fouet son adversaire. Celui-ci tomba lourdement au sol et les esprits des deux équipes s'échauffèrent. Les arbitres tentaient de contrôler les joueurs alors que les partisans laissaient savoir leur mécontentement par des huées. Ils auraient souhaité que Roy soit éjecté de la partie au lieu des simples quinze verges de punition. Heureusement pour Rimouski, Montréal ne parvint pas à tirer profit des essais suivants.

Finalement, un dernier touché acheva les Dragons au quatrième quart. Une magnifique course de trente-deux verges de Zak sur un balayage à droite venait sceller l'issue du match. Les partisans de Zak bondissaient dans les estrades. Victoria et les autres filles allèrent rejoindre les gars sur le terrain.

Rimouski avait renversé la puissante équipe de Montréal, chez eux, par la marque de vingt-quatre à dix. Une première victoire convaincante pour le programme depuis quelque temps. L'atmosphère sur le terrain et dans le vestiaire après la partie était à la fête, comme s'ils venaient de remporter la Coupe Grey !

Francoeur prit son casque et le souleva dans les airs. Ses coéquipiers l'imitèrent. Loiselle, surpris par ce geste, écouta son quart-arrière :

– *Coach* ? Cette victoire était pour toi. Zak nous a dit le geste que tu as posé pour la nuitée de plus. Merci de nous pousser et de croire en nous. On veut gagner, dit fièrement Steven.

Les joueurs lancèrent des « Go ! Pékans Go ! » L'entraîneur s'adressa à ses troupes :

– Je suis tellement fier de vous ! On n'est pas encore rendus, mais on va dans la bonne direction. Il nous reste quatre parties. Je suis certain qu'on est capables d'aller les chercher. Ce soir, vous êtes libres. Profitez-en, mais n'oubliez pas que vous représentez le programme et l'école. Je ne veux pas d'ennuis ! On est une équipe sur le terrain et en dehors aussi, c'est compris ? Comprenez-moi bien, le *feeling* qu'on a présentement, je veux le vivre encore. Alors, amusez-vous, mais souvenez-vous que la saison est loin d'être terminée ! Pour ma part, je vais rejoindre Jay à l'hôpital. On se revoit à l'hôtel à minuit. Zak, tu nous rejoins à 8 heures demain matin.

Les joueurs étaient si excités à l'idée d'aller faire la fête qu'ils décidèrent de se rendre directement dans un bar de Montréal, pour ne pas perdre une minute. Quant à Zak, il profiterait de son voyage pour passer du temps avec ses parents. Nerveux devant ces retrouvailles, il avait demandé à Victoria de l'accompagner.

Chapitre 18

– Tadam ! Victoire ! jubilait Zak en franchissant le hall d'entrée.

– C'était tout un match ! s'exclama Robert, son père.

– Pas d'équipements à laver ?

– Non. Tout est dans l'autobus.

– M'man ? Voici Victoria. Victoria, ma mère, Claire.

– Enchantée, dit la belle blonde.

– Restez pas là. Vous devez avoir faim. Le souper est prêt.

Les parents de Zak habitaient un quartier de Laval dans lequel toutes les maisons semblaient construites par la même firme. Elles étaient presque identiques, mis à part un garage ou une galerie de plus ici et là. Malgré sa maladie, Robert conduisait encore sa voiture, subissant ainsi les remontrances de sa conjointe qui le trouvait imprudent. Têtu comme il l'était, pouvait-elle vraiment le changer ? De toute manière, l'amour qu'ils éprouvaient l'un pour l'autre s'était transformé en tolérance. Ils formaient désormais un vieux couple qui se respectait, mais aux valeurs opposées.

La cuisine était l'une des pièces les plus spacieuses de la maison. Il y avait une abondance d'armoires en érable, d'appareils électroniques en acier inoxydable et une longue table en bois massif. Claire variait rarement ses repas. Depuis sa jeunesse, Zak avait droit à une rotation d'une dizaine de plats, souvent servis les mêmes soirs. Sans doute pour lui faire plaisir, Claire s'était montrée aventureuse ce soir-là. Elle avait osé préparer une lasagne, le mets préféré de Zak, un samedi.

– Tu aurais dû le voir, Claire ! Zak a connu toute une partie !

– Zak me confiait que vous n'allez pas souvent le voir jouer ? demanda poliment Victoria.

– Le football, c'est un sport de fou. Trop violent. Demande-lui pour son ami Louis-Charles et ses trois commotions. Il était intelligent, promis à un bel avenir. Maintenant, il ne peut plus entrer dans les programmes scolaires qu'il désire. Trop de problèmes de concentration.

– M'man ! Des blessures, ça peut arriver dans n'importe quel sport !

– Zak a raison, acquiesça Victoria.

– Il me semble qu'il existe d'autres façons de bouger sans se faire cogner.

– Zak a toujours aimé ça, être dans l'action, ajouta Robert.

– Tes notes ? Comment vont tes cours ? Après tout, ce n'est pas ton football qui te fera vivre !

– Ça va.

– Et toi, Victoria. Quels sont tes plans après le cégep ? Zak me disait que tu termines cette année

– Oui. Et honnêtement, je ne le sais pas.

– Ah ? Bon.

– J'adore la danse et j'aimerais en faire mon métier.

– Une artiste. Ce n'est pas un monde facile.

– Je sais. Mais je préfère être heureuse dans la vie plutôt que d'avoir un travail qui me tuerait à la longue.

– C'est bien votre génération, ça ! Toujours la quête du plaisir. Jamais prêts à sacrifier quoi que ce soit.

– Claire, on pourrait passer au dessert ? suggéra Robert.

***

Les autres joueurs de l'équipe s'étaient dirigés au Sky, sur la rue St-Laurent, où ils fêtaient allégrement leur victoire. Le frère de Marc-Stéphane Morin habitait Montréal depuis quelques années déjà. Acteur, il travaillait dans un bar pour arrondir ses fins de mois. Il avait eu la gentillesse de leur réserver une grande section VIP en l'honneur de leur victoire. Les gars se sentaient comme des vedettes. Encore sur l'adrénaline, ils se croyaient invincibles. L'instant d'une soirée, ils étaient les rois du monde. Avec leur physique atypique, ils ne passaient pas inaperçus et, pour leur plus grand bonheur, les filles gravitaient autour de leur section, avides de les rencontrer.

***

Le sous-sol était complètement ouvert et dégageait un côté rustique-chic avec ses vieilles planches de grange teintes qui entouraient la pièce. Elles partaient du plancher et s'arrêtaient au tiers des murs. Au fond, il y avait un grand écran en toile devant lequel reposait un beau divan en cuir noir ainsi que deux fauteuils inclinables. L'autre extrémité comportait un bar maison ainsi qu'un jeu de fléchettes. Quelques affiches de films encadrées ornaient les murs. C'était le petit havre de paix que s'était bâti Robert. Il était un grand cinéphile et il aimait bien aussi regarder le sport.

D'ailleurs, la télévision retransmettait le premier match hors concours de la saison des Canadiens de Montréal. Partisan absolu, il croyait aux grands honneurs avant même le début de la saison !

– Price va en connaître une bonne ! Les gars vont rebondir. On est dus !

La foi aveugle de son père envers ses Glorieux faisait bien rire Zak. Il aimait le hockey, mais pour lui, ce n'était pas une religion. Il ne s'intéressait pas à une équipe en particulier. Par contre, Victoria adulait Sydney Crosby, comme bien des amateurs du Bas-du-Fleuve alors que le jeune prodige portait l'uniforme de Rimouski.

– Les Pingouins vont revenir en force ! Crosby va nous ramener la Coupe !

– Quoi ? Pittsburgh ?

– Vous allez voir. Malkin va partir, puis avec ça, on va devenir une meilleure équipe. L'an passé, il nous manquait nos trois meilleurs défenseurs en série !

– Puis toi, Zak ? demanda Robert.

– Les Nordiques. Je dis que Québec gagnera une Coupe avant vos deux équipes.

– Au lieu de dire des niaiseries, va donc me chercher une bière dans le frigo !

***

La musique électro résonnait à pleine puissance. Les gars devaient crier pour se faire comprendre. L'alcool coulait un peu trop au goût de certains. Whittom ne se gênait pas pour embrasser passionnément une jolie blonde au décolleté vertigineux alors que Francoeur racontait ses exploits tout en montrant ses abdominaux à deux admiratrices. Les Rioux se déhanchaient plutôt habilement sur la piste de danse, à la grande surprise de leurs coéquipiers. Doucet, tolérant peu l'alcool, s'était affaissé dans un coin tandis que Morin s'occupait sur son cellulaire. Gauthier croisa Roy qui sortait des toilettes en même temps qu'une coquine rousse.

– Hé que t'as pas de classe ! lâcha Gauthier.

– Quoi ? Je voulais une Montréalaise à mon palmarès !

– Très drôle. Envoye, sors de là. Il faut que je te parle.

– Qu'est-ce que tu veux ?

– Les gars ont assez bu. Il faut rentrer avant que ça dégénère.

– Allez Hulk ! Laisse-nous avoir encore un peu de fun ! On dormira dans le bus en revenant.

Danick observait de plus près son ami.

– Max ? T'as pas consommé, là ? Tu m'avais dit que c'était fini ! Mais t'es vraiment accro ! Tu t'en débarrasseras jamais, de cette cochonnerie-là !

– Relaxe ! C'est la première fois depuis l'an passé, OK ?

– C'est la dernière fois que je te couvre. Si je te repogne, je te dénonce !

– C'est fini, j'te l'jure...

– Là, tu m'aides à rassembler la *gang* et on repart à l'hôtel, d'accord ?

– Oui, sergent !

***

Puisque Zak était enfant unique, Claire avait conservé sa chambre exactement comme elle l'était avant son départ. Des trophées et des médailles sportives décoraient des tablettes. Au mur, des affiches d'athlètes ainsi qu'une de Beyoncé, légèrement vêtue, s'ajoutaient à la décoration. Un vieux téléviseur et une console de jeux vidéo reposaient sur un meuble. Victoria s'allongea sur le lit de Zak.

– On fait une partie de Mario Kart ? Ça fait une éternité que j'ai pas joué !

– Attention ! Je suis le joueur encore invaincu du quartier, répondit Zak.

– Tu vas voir que ma Peach va clancher ton Mario !

– Ah, non. Moi, c'est Toad !

Après quelques parties, toutes gagnées par Zak, Victoria déposa la manette sur le sol. Elle regarda tendrement Zak et s'approcha langoureusement de lui. Puis, ils entendirent cogner timidement à la porte.

– Zakary ? N'oublie pas d'utiliser de la protection !

– M'man !

– Quoi ? On ne sait jamais ! Mieux vaut prévenir.

– C'est bon !

– Tu te souviens de la MTS qu'a attrapée Louis-Charles ?

– Oui ! Tu peux nous laisser maintenant !

– Bon... bien... bonne nuit. Demain, il y aura des croissants.

– Bonne nuit !

Victoria ne put s'empêcher de rire un court instant.

– Zak ?

– Oui ?

– Il faut que je te dise quelque chose d'important.

– D'accord.

– Je suis sérieuse. Je ne veux pas te faire de peine.

Victoria s'assit sur le lit. Zak se redressa contre le mur.

– Vas-y. Dis-le.

– C'est notre dernière nuit ensemble. J'arrête avant que tu t'éprennes trop de moi. Zak, j'aime les filles. J'ai eu du plaisir avec toi, mais il n'y a aucun avenir possible entre nous.

Stupéfait, Zak ne savait pas quoi répondre à cette révélation.

– Je m'excuse si je t'ai fait croire à plus. Tu semblais tellement fier de me *cruiser*, de croire en tes chances, que c'en était flatteur. Au fil du temps, je m'en suis rendu compte, t'es un bon gars avec le cœur à la bonne place. Crois-moi, je voulais m'offrir à toi pour ça. Pas pour te faire du mal.

– Pis Francoeur là-dedans ?

– Je ne lui ai jamais dit. Il se comportait vraiment en imbécile avec moi. J'avoue qu'au début, ses crises de jalousie me plaisaient quand il te voyait me tourner autour. Mais ce n'était pas de la vengeance. Zak, tu es formidable. Je veux juste t'éviter trop de peine en laissant ça aller trop loin.

– Tu es certaine que tu ne peux rien ressentir pour moi ?

– Oui. J'ai connu un véritable amour en cinquième secondaire. Nous avons vécu une relation pendant quelques mois, la plus belle de ma vie. Par contre, elle n'était pas prête à s'avouer lesbienne ni à le vivre au grand jour. Elle m'a laissée là.

– Les autres filles ne sont pas au courant ?

– Tu parles ! Être une meneuse de claques comporte son lot de stéréotypes. En plus, je suis blonde ! On s'attend à ce que je sois attirée vers les beaux gars musclés, à ce que j'aille au lit avec n'importe qui. J'ai toujours choisi la personne avec laquelle j'entreprenais une relation. Tu me pardonnes ?

– Oui, bien sûr… Mais ça me vire complètement à l'envers. Je suis triste, mais en même temps, touché par ta confiance. J'avoue que je suis pas mal mêlé par tout ce que tu viens de me dire.

– La nuit débute. Il nous reste du temps avant demain matin. Profitons-en !

Victoria s'approcha d'un Zak confus. Il ressentait une immense tristesse de voir sa relation (laquelle ?) prendre fin abruptement, mais il ne pouvait repousser cette dernière invitation si envoûtante. Il préféra noyer sa peine entre les bras de Victoria.

***

Minuit approchait et le troupeau se retrouva près de l'hôtel. Certains membres du groupe décidèrent d'entrer avec leurs invitées pour continuer la fête dans les chambres. Roy et les Rioux avaient un petit creux et ils voulaient passer par une pizzéria quelques rues plus loin. Gauthier, sachant que son ami était encore sous l'effet de sa consommation, préférait l'accompagner.

Assis à une table du *fast-food,* en train de se gaver, le quatuor entendit agressivement :

– C'est toi, Max Roy ?

Une dizaine de gars venaient d'entrer dans le restaurant. C'était des joueurs des Dragons de Montréal.

– Le King ? Mmmf, ouin. T'es qui, toi ? demanda-t-il la bouche pleine.

– C'est moi que t'as frappé comme un cave tantôt. T'es *cheap* en maudit. Tu savais que j'avais pas le ballon.

La tension monta d'un cran. Les Rioux se tenaient prêts à intervenir.

– C'était toi ? J'ai lu que t'aimais ça *rough*. Ton *chum* ne te satisfait plus ?

– Très drôle. Tu veux mon poing dans ta face ? menaça le joueur en approchant son visage tout près de celui de Max.

– Désolé, je ne voudrais pas que tu l'abîmes…, répliqua-t-il.

Son adversaire mit sa main sur celle de Roy qui reposait sur la table, puis il se mit à la serrer fortement.

– T'es un comédien ? T'as peut-être plus d'avenir sur scène que sur un terrain ?

D'un coup sec, Maxim lui assena un coup de tête au visage, lui fracassant le nez.

– Méchant malade ! Il m'a pété le nez ! cria le joueur en voyant le sang couler.

Ses coéquipiers voulurent s'interposer. Maxim, encore assis, repoussa un assaillant d'un coup de pied. Les Rioux se levèrent de table et bousculèrent des membres de l'autre groupe. Le plus grand d'entre eux se dirigea vers Max. Danick fit signe à son ami de lui faire place. Les employés du comptoir paniquèrent et leur crièrent de cesser la bagarre. Gauthier, ceinture noire en karaté, évita le coup de poing de son adversaire et le prit par le bras, le maîtrisant sur une table. Il était immobilisé par la clé de bras de Gauthier qui aurait pu, d'un simple geste, le lui casser. L'autre bras appuyait le bas de la nuque du joueur des Dragons.

– C'est fini. On repart chacun de notre bord.

– OK ! OK ! hurla de douleur le joueur cloué à la table.

– Allez-vous-en ou on appelle la police ! ajouta un employé.

Les Dragons sortirent du petit restaurant. Par mesure de sécurité, Danick tenait toujours en otage son adversaire. Il le relâcha alors que tout le monde était à l'extérieur. Humiliés, les joueurs de Montréal quittèrent rapidement les lieux, suivis des quatre gars, encore visiblement affectés par l'alcool tandis qu'ils riaient et hurlaient dans les rues.

– Hulk ! T'es l'incroyable Hulk ! criait Maxim à Danick.

C'était le genre de soirée épique dont les gars se souviendraient longtemps. À leur arrivée, Loiselle sortait du bar de l'hôtel.

– Quinze minutes en retard, les gars ! Vous êtes chanceux que je sois de bonne humeur. Montez dans vos chambres.

– Oui, *coach* ! répondirent-ils en chœur.

– Comment va Maillé ? demanda Gauthier.

– C'est ce qu'on pensait. Saison terminée. Il se fera opérer à son retour. On lui a donné des somnifères pour qu'il dorme. Par ailleurs, les filles sont parties...

– Filles, quelles filles ? riposta Maxim.

– Exactement. Bonne nuit.

***

Une légère tension subsistait ce matin entre Victoria et Zak. Ils ne savaient pas trop comment s'aborder après cette nuit étrange. Après un court au revoir aux parents de Zak, ils prirent un taxi en silence jusqu'à l'hôtel. Heureusement, rejoindre ses potes lui ferait oublier, un peu, Victoria.

À leur arrivée, ils s'échangèrent un dernier regard, puis partirent chacun de leur côté pour le retour à Rimouski. Dans l'autobus, Zak faisait semblant que tout allait bien, sans laisser paraître sa tristesse. Il salua Jérémie qui occupait la banquette du fond. Bandage au genou, il était sous l'effet du sédatif pour lui faciliter le voyage.

– Cette victoire-là, elle était pour toi, Jay... Je sais que t'es frustré. Je te comprends. Mais on va tous avoir besoin de toi. On va avoir besoin de tes conseils et de ta présence. Moi, je vais avoir besoin de toi. Tu seras mes yeux sur le *sideline*.

Maillé ouvrit légèrement les yeux, il prit la main de Zak tout en effectuant un petit sourire.

***

Soulagé d'être rentré au bercail après ce voyage haut en émotions, Zak avait le goût de se délier les jambes. Avant de faire un peu de course vu le beau temps, il passa à sa chambre porter ses bagages. Zak cogna à la porte, ayant peur de surprendre à nouveau Cédrik et sa blonde en pleins ébats. Son coloc ouvrit la porte. Il affichait une mauvaise mine. Marjorie était également présente.

– C'est Raymond. Il est mort ce matin, annonça tristement Cédrik.

Chapitre 19

Raymond était décédé. Zak et Cédrik lui avaient rendu visite la semaine dernière et, bien qu'il ait paru un peu plus affaibli, jamais Zak ne croyait qu'il les quitterait si rapidement. Du moins, sans la chance de lui dire au revoir. Marjorie avait reçu un appel de la maison de soins palliatifs plus tôt dans la journée lui annonçant la triste nouvelle et, plutôt que de la partager à Zak par textos et gâcher son retour, elle avait préféré lui dire de vive voix.

Sous le choc, Zak avait passé une semaine plutôt bizarre. Autant il était heureux de ses belles prestations sur le terrain, autant le reste de son monde s'écroulait. Bien qu'il ait été content d'avoir revu ses parents, la déchéance physique de son père le bouleversait et sa relation avec sa mère ne s'améliorait guère. Victoria lui avait révélé sa bisexualité et, du coup, elle le quittait. Maintenant, la mort de cet homme qu'il connaissait peu, mais dont il avait bien apprécié la compagnie, habitait ses pensées lors des entraînements. Même sa bonne note en français sur *Cyrano de Bergerac* ne lui remontait pas le moral.

Heureusement, les obsèques avaient lieu le samedi, la veille de leur partie contre les Diamants de Drummondville. La cérémonie fut brève. À peine une vingtaine de personnes s'étaient déplacées dans la petite chapelle ardente du salon funéraire. L'urne de Raymond était exposée près d'une belle photo de lui alors qu'il avait la vingtaine. Quelques personnes avaient livré d'émouvants témoignages, dont sa fille Sophie. Accompagné de Marjorie et Cédrik, Zak était demeuré plutôt discret, contrairement à son ami. Cédrik échangeait avec les gens, racontant même l'histoire du dernier joint qu'ils avaient consommé ensemble. Il adorait soulever l'indignation chez les personnes un peu plus conservatrices.

Tandis que le trio regagnait le stationnement, Sophie les interpella :

– Zak doit être parmi vous, non ? Vous êtes les seuls d'âge collégial ici.

– C'est moi. C'était très beau ce que vous avez dit sur votre père. Je suis certain qu'il apprécie, peu importe où il est.

– Merci. Disons qu'on a eu une relation plutôt... difficile. Le temps finit par arranger un peu les choses, je suppose.

– Nos condoléances, offrit Marjorie.

– J'ai eu la chance de renouer avec lui ces derniers temps et il me disait que vos visites lui faisaient du bien. J'ai donc pris quelques objets que je voulais te donner. Je suis contente d'avoir la chance de te les offrir en personne.

– C'est gentil à vous, mais je ne peux pas accepter, déclina Zak. Je ne l'ai connu que quelques semaines.

– Ça me fait plaisir de tes les transmettre.

Ils se dirigèrent vers la chic voiture de Sophie. Elle ouvrit le coffre duquel elle sortit une boîte en carton.

– Tenez. Je crois qu'il serait heureux de savoir que ces quelques babioles se retrouvent entre vos mains, d'un sportif à un autre.

– Merci.

Sophie lui remit la boîte et retourna à l'intérieur. Cédrik ne pouvait contenir sa curiosité.

– Ouvre-la ! Peut-être qu'il était riche et qu'il a mis un article de grande valeur dedans !

– Ced ! Tu vois trop de films !

– Tu devrais l'ouvrir quand tu seras seul, suggéra Marjorie.

– Non, non. Allons l'ouvrir quelque part où nous serons tranquilles.

– Bonne idée ! approuva Cédrik.

***

– Quoi ? J'avais soif ! Pas vous ?

Cédrik les avait amenés au pub Cactus.

– *Tres vodka, por favor* ! signala-t-il à la serveuse.

– Quand je mentionnais un endroit tranquille, je ne pensais pas nécessairement à un bar !

– Arrête donc de rouspéter et ouvre la boîte !

Zak la déposa sur la table. Il en retira une rondelle usée avec la mention *first nhl goal* écrite au dos, sur un bout de papier collant brun. Il y avait également une carte de hockey de Raymond ainsi qu'un chandail des Bruins de Boston avec son nom et son numéro. Il s'agissait de l'un des chandails qu'il avait déjà portés. Ému, Zak replaça doucement les objets.

– Peut-être que ça vaut cher sur *Ebay* ?

– Ced, ferme-la, suggéra Marjorie alors que la serveuse apportait leurs *shooters*.

– Bon. Alors un *toast* à Raymond et à nous trois, célibataires !

Marjorie lui lança un regard désapprobateur.

– Quoi ? Tu vas t'en remettre de ta pauvre Victoria, mon Zak... comme moi. J'ai déjà oublié Caro. Toi, Marjorie, qui as-tu déjà oublié ?

– En fait, je n'ai jamais vraiment eu de chum, avoua-t-elle d'un ton hésitant.

– Quoi ? Tu veux dire que... Tu t'es jamais fait...

– Non. Je suis encore vierge, Cédrik.

– OK. T'as le droit. C'est bien, être vierge. D'ailleurs, je vais me rabattre sur une jeune gaspésienne dans mon cours de cinéma. Elle vient tout juste d'emménager et elle est pas mal impressionnée par ma culture cinématographique, si je juge ses réactions en classe.

– T'es terrible, sermonna Marjorie.

– Ne me dis pas qu'il n'y a personne avec qui tu t'enverrais en l'air si tu en avais l'occasion ? La moitié des gars de *foot* ? Pas un bon exemple.

Sérieusement, tu n'as jamais senti le besoin de te mettre complètement à nu devant quelqu'un ? D'enfin comprendre que ton existence prendrait un sens réel par cette union ? Ou bien, c'est parce que tu as peur de le faire ? Remarque, tu as le droit. Je ne te juge pas !

– Ced, lâche-la un peu...

– Allez ! Êtes-vous si aveugle que ça ? Faites quelque chose !

Zak s'approcha de Marjorie et l'embrassa subitement sur la bouche. Elle le repoussa et le gifla. Surprise par son propre geste, elle se sentit mal à l'aise.

– Je m'excuse.

– C'est moi qui suis désolé.

– J'ai une pratique d'impro qui commence bientôt, dit-elle en se levant promptement.

– Reste.

Marjorie quitta le bar.

– Quoi ? Qu'est-ce que j'ai dit ? demanda Cédrik en croisant le regard sévère de Zak.

Chapitre 20

Les Pékans étaient en feu ! Ils récoltèrent deux victoires en deux parties. La première, sous une pluie torrentielle à Drummondville, avait été gagnée de façon in extrémis. Ils avaient fait preuve de caractère en effectuant une belle remontée. Alors qu'ils perdaient vingt et un à dix-sept en fin de match, Francoeur avait envoyé le ballon en direction d'Alex Dufresne qui inscrivit un touché gagnant avec quatre secondes à faire au cadran ! Quant à Zak, il récolta un peu plus de cent verges par la course, dont une magnifique de tout près de trente au quatrième quart qui avait mené au touché victorieux. Ponctué de nombreuses punitions, le match disputé était très serré.

Le samedi suivant, par une journée d'automne ensoleillée, malgré un mercure qui indiquait un frisquet huit degrés, Les Pékans rejouaient à la maison. Après deux parties sur la route, ils avaient finalement la chance de montrer à leurs partisans le type d'équipe qu'ils étaient devenus. Ils remportèrent une troisième victoire d'affilée par la marque de trente et un à dix contre le Laser de

Saint-Hyacinthe, l'équipe qui croupissait au dernier rang du classement.

À deux matchs de la fin de la saison, la présence des Pékans en séries éliminatoires était loin d'être assurée. Ils devaient absolument battre leurs prochains adversaires, les Braves de Beauce-Appalaches. En cas de défaite, ils devraient s'en remettre aux pointages des autres parties. Une qualification demeurait toutefois possible au dernier match. Loiselle était soucieux. Il craignait une trop grande confiance de la part de ses joueurs étant donné qu'ils avaient triomphé facilement contre le Laser.

Ces deux victoires lui faisaient plus grand bien à Zak. Ces dernières semaines avaient plutôt été pénibles. D'une part, Victoria occupait toujours ses pensées, et maintenant, le silence de Marjorie lui faisait réaliser à quel point elle lui manquait. Le plus difficile était qu'il les croisait presque tous les jours. Dans le cas de Victoria, la plaie était moins vive. Il espérait qu'ils deviennent de simples amis, mais le temps n'était pas encore propice. Le malaise n'était pas entièrement dissipé. Par contre, il regrettait son geste envers Marjorie et espérait qu'elle puisse lui pardonner.

Au moins, Beaulieu semblait avoir fait la paix avec Francoeur. Ses billets étaient non seulement moins incendiaires, mais ils encourageaient fortement les gens à venir soutenir les Pékans. D'ailleurs, le mot se passait dans les autres médias et la foule s'annonçait prometteuse pour le dernier match. Toutefois, Rimouski devait disposer de

Beauce-Appalaches, probablement l'équipe du circuit la plus imposante physiquement.

***

Samedi 31 octobre, jour d'halloween. Le match avait lieu au cégep de Beauce-Appalaches. Lestyle de jeu des Braves n'était pas sorcier : un jeu au sol prédominant, prévisible et efficace. Des stratégies simples, mais qui fonctionnent !

Loiselle avait bien préparé son équipe au match physique qui l'attendait. La partie allait se jouer sous un climat venteux avec pluie fine. Les Pékans avaient gagné au tirage au sort. Francoeur remit le ballon à Zak au premier jeu pour un gain de dix-sept verges. Rimouski partait du bon pied ! À la séquence suivante, Francoeur recula pour tenter de repérer un de ses receveurs, mais ils étaient tous bien couverts. Il choisit de courir lui-même avec le ballon, ce qu'il fit avec brio sur une distance de vingt-trois verges. Une autre belle course de Zak puis une passe à Maxim Roy et c'était déjà sept à zéro. La défensive beauceronne était complètement débordée.

Par contre, l'attaque des Braves était tout aussi solide que la leur. Malgré les jeux au sol prévisibles, ils étaient tellement bien rodés qu'ils avançaient avec constance, tout en contrôlant le temps au tableau. P-A se faisait bloquer par un joueur un peu plus petit que lui, mais techniquement très efficace. Le reste de la ligne défensive ne faisait guère mieux. En quelques minutes, le pointage était égalisé.

La pluie rendait le ballon très glissant, provoquant des virements de part et d'autre. Francoeur, qui voulait décocher une longue passe, échappa le ballon avant même de pouvoir le lancer, et le rapide secondeur extérieur des Braves le ramena sur une course de quarante-quatre verges pour le touché. Heureusement, les Pékans ripostèrent quelques jeux plus tard par une longue passe du quart-arrière à Alex Dufresne et égalisèrent à nouveau le pointage. Le match s'exécutait rapidement : aucune des deux équipes ne semblait être capable de s'ajuster défensivement. La joute était devenue un véritable festival offensif. À la mi-temps, le tableau indiquait un pointage alarmant de vingt-huit partout. Bref, c'était un match qui rendait les entraîneurs nerveux !

– Ce que je vais dire n'étonnera personne. Défensivement, il faut trouver le moyen d'arrêter leur jeu au sol ! On les connaît et on sait ce qu'ils vont faire, mais leur ligne à l'attaque et leur demi-offensif jouent plus physique que nous ! Attaquez leurs bloqueurs, soyez plus bas qu'eux et plaquez leur gros porteur dans les jambes. Arrêtez de vouloir le frapper au haut du corps, il est trop solide. L'attaque et les unités spéciales, on a besoin que vous continuiez votre job, le temps qu'on reprenne notre rythme défensivement.

Loiselle tentait d'emporter les correctifs nécessaires, tandis que Danick Gauthier assumait son rôle de vétéran en tentant de motiver ses coéquipiers à sortir fortement dès le départ de la deuxième demie :

– On la gagne et on est dans les séries ! J'ai pas le goût que ma saison s'arrête la semaine prochaine. Je suis certain qu'aucun gars ici ne veut ça non plus. On a travaillé trop fort. *Come on* ! On sort puis on impose notre rythme !

Les Braves débutaient avec la possession du ballon et, fidèles à leur habitude, ils jouaient au sol avec leur robuste ligne à l'attaque. Malgré la mise au point à la mi-temps, l'unité défensive des Pékans avait les mains pleines. Les contacts entre les équipes devenaient de plus en plus lourds. Des deux côtés, les joueurs prenaient une fraction de seconde supplémentaire pour se relever à la fin du jeu. Le terrain se transformait progressivement en boue, ce qui rendait la stabilité au sol difficile. Dans ces conditions, les joueurs les plus lourds, en l'occurrence ceux de Beauce-Appalaches, devenaient nettement avantagés.

– Maudit temps de chien ! On peut rien faire de bon sur le terrain ! se choqua Maxim.

– On lâche pas ! Ils vont finir par faire une erreur…, souhaita Zak.

Avec neuf minutes à faire au troisième quart, les Pékans n'avaient toujours pas touché au ballon alors que les Braves s'inscrivaient de nouveau au tableau, prenant les devants par sept points. Sur le botté de reprise, Doucet réussit à se faufiler derrière son mur de bloqueurs et à briser quelques plaqués pour se rendre jusqu'à la zone payante. Une incroyable course de quatre-vingts verges !

La riposte au pointage, d'un côté comme de l'autre, se comparait à un combat de boxe dans lequel les deux pugilistes répliquaient coup pour coup. Le match affichait déjà soixante-dix points !

Au quatrième quart, la défensive s'était resserrée un peu, mais l'offensive ne parvenait pas à tirer profit des erreurs de son adversaire. Au contraire, c'est elle qui les commettait alors qu'elle détenait le ballon. Zak ne connaissait pas son meilleur match, loin de là. Il échappa le ballon pour une deuxième fois pendant qu'il se faisait plaquer, permettant aux Braves de reprendre l'avance. Il s'en voulait terriblement, mais Loiselle lui avait vite fait comprendre qu'il n'était pas le seul à connaître une partie chancelante et qu'il devait canaliser ses frustrations positivement. La chance lui sourit quelques minutes plus tard tandis qu'une brèche s'ouvrit devant lui lorsque son couvreur glissa au sol. C'était de nouveau l'impasse entre les deux équipes à quarante-deux points chacun.

Malheureusement pour Rimouski, l'attaque de Beauce-Appalaches retrouvait le ballon avec moins d'une minute au cadran. Évidemment, ils jouaient avec l'intention de contrôler le temps. Petit à petit, ils réussissaient à gruger des verges et à entrer dans le territoire des Pékans. Plus que dix-neuf secondes au match, situation de troisième essai et six verges à franchir, à la ligne de trente-deux. Les Braves optèrent stratégiquement pour un jeu de passe, un des rares de leur journée. Le quart-arrière visait un joueur installé profondément dans la zone des buts mais, heureusement, le grand Yan Allard intervint au bon moment et rabattit le ballon au sol.

Au quatrième essai et sept verges à franchir, les Beaucerons envoyèrent leur unité spéciale sur le terrain. Pendant que les joueurs s'installaient, le temps semblait ralentir... Zak et ses coéquipiers n'en revenaient pas que ce match fou se décide sur un simple botté de placement. La remise fut bonne et le botteur s'élança. Le ballon se dirigea dangereusement vers la droite, mais parvint quand même à se faufiler timidement à l'intérieur des poteaux des buts. Fin du match. Beauce-Appalaches se sauva avec la victoire par trois maigres points de différence. Les joueurs locaux sautaient de joie, tandis que les visiteurs, dépassés par les évènements, battaient furieusement en retraite au vestiaire.

Dépité, Loiselle connaissait cette amère sensation d'avoir tout donné sur le terrain et de se faire battre en fin de match. La série de victoires de Rimouski venait de prendre fin. À l'aube de la dernière rencontre de la saison régulière, elle détenait maintenant une fiche de quatre victoires et cinq défaites. Par contre, mathématiquement, tout était encore possible. L'entraîneur devait juste le faire croire à ses joueurs. Auraient-ils le cœur à se relever ?

Chapitre 21

Samedi 31 octobre, soir d'halloween. Cédrik organisait une petite fête chez ses parents qui étaient absents. Une vingtaine d'amis de son programme d'étude festoyaient déjà dans la cossue demeure alors que Zak arrivait.

– Tu es seul, *amigo* ? observa Cédrik.

– Oui.

– Au moins, tu as fait l'effort de ne pas venir en joueur de football. Beau costume de Flavien, en passant !

– *Dans une galaxie près de chez vous* ? Toujours un classique !

– Toi ? Jonah Hill dans *Supermalades* ?

– J'ai trouvé une réplique de la chemise sur Ebay. Pas pire, hein ? T'aimes ma perruque de *jewfro* ? Reste pas planté là. Viens ! On est en plein karaoké !

– Super..., répondit-il d'un ton cynique.

À l'intérieur, les invités s'amusaient à massacrer les paroles des grands succès de Britney Spears, Katy Perry, Taylor Swift, Black Eyed Peas, Justin Bieber et autres vedettes des dernières années... Cédrik offrit une prestation endiablée d'*All About*

That Bass de Meghan Trainor. Un ami de son cours d'histoire de l'art subit un malaise alors qu'il tentait une note trop haute sur *Fireworks.* Il dégobilla dans l'aquarium du salon sous les applaudissements fébriles de son auditoire. Loin d'être offusqué, Cédrik jubilait. Il était déjà sous l'effet de substances... Zak entonna le grand classique international *Gangnam Style.* C'était de toute beauté !

***

Marjorie regardait l'une de ces comédies romantiques insipides destinées aux filles. Elle ruminait encore les mots de Cédrik, mais surtout le geste de Zak. Oui, elle aimait Zak. Oui, elle avait capoté parce qu'elle n'avait pas eu le contrôle de la situation. Elle n'aimait pas être prise au dépourvu. Oui, elle avait trop peur d'être rejetée si elle tentait une approche. Elle avait toujours en tête l'humiliation d'avoir été abandonnée, lors de son bal des finissants, par ce connard qui avait préféré s'y rendre avec ses amis.

Lors de la dernière partie, elle avait fait un premier pas vers Zak en l'encourageant malgré la défaite. Depuis le début de la soirée, ils s'échangeaient des textos ; il l'implorait de venir le rejoindre chez Cédrik. Désespérée d'elle-même, elle poussa un long cri sourd !

– Chérie ? Ça va ? lança son père depuis le salon.

– Oui ! répondit-elle. Ce n'est que ta pathétique fille qui *choke* encore, ajouta-t-elle, en murmurant.

***

– Zak ? C'est pour toi à la porte ! hurla Cédrik.

Marjorie se tenait devant lui, vêtue de son costume de mascotte des Pékans.

– Salut.

– Je suis content que tu sois venue. Délivre-moi ! Je t'en supplie ! dit-il d'un ton moqueur.

– Allez, ça doit pas être si pire que ça…

– Il y en a quatre qui jouent au Monopoly depuis deux heures, sans dés…

– Comment ?

– Tu veux pas le savoir…

Zak préféra s'installer avec Marjorie dans la balançoire sur la terrasse extérieure. Le ciel noir laissait paraître une panoplie d'étoiles. Habituellement plus volubiles, les deux amis étaient envahis par une certaine gêne. Après sa rupture avec Victoria, Zak avait apprécié la présence de Marjorie. Elle ne le jugeait pas, l'épaulait et lui changeait les idées. Son regard envers elle changeait. Et, dès qu'il lui avait ouvert la porte ce soir-là, il se sentait épris de cette belle rouquine au sourire craquant. Assis devant elle, il contemplait ses grands yeux verts expressifs. Alors qu'ils échangeaient quelques banalités, Cédrik s'immisça dans la conversation :

– C'est là que vous étiez ? La gang est pas mal partie.

– Désolés ! On peut t'aider à ranger ? offrit Marjorie.

– Inquiétez-vous pas ! J'vais faire ça demain…

– Ced ? Pourquoi tu vis sur le campus alors que tes parents ont une maison comme celle-ci ? demanda Zak.

– C'est parce que tu ne les connais pas ! MJ ? Tu veux pas te changer ? T'es pas tannée d'être dans ton costume ?

– Non, non... Ça va.

– Si vous voulez rester, y'a pas trouble. Profitez du cinéma maison en bas. Moi, je vais dans la chambre avec Tzara, t'sais la fille de mon cours de cinéma ? Je l'ai séduite avec mon analyse de *Cinquante nuances de Grey* et les films de filles... Bonne nuit ! dit-il avec son rire affectueux, tout en montrant les deux cravates enroulées à son cou.

La brise se faisait un peu plus insistante et la température se rafraîchissait. Marjorie et Zak acceptèrent donc l'offre de leur hôte. Assis confortablement chacun de leur côté du divan, ils regardaient passivement la télévision. Au-dessus d'eux, ils entendaient Cédrik et sa partenaire faire couiner les ressorts du matelas. Puis Marjorie se releva.

– Ça va ?

– Oui.

– Je veux juste te dire que je suis sincèrement désolé pour mon geste de l'autre jour...

– Zak ?

Marjorie retira son costume. Elle était complètement nue.

– T'es certaine ?

– Je te désire depuis ce premier jour où tu m'es rentré dedans..., avoua-t-elle timidement.

– J'étais trop aveuglé par mon obsession envers Victoria pour apercevoir la belle fille qui était près de moi tout ce temps !

Il s'approcha de Marjorie qu'il prit tendrement dans ses bras. Ils s'embrassèrent sensuellement, pendant que les mains de Zak parcouraient doucement les courbes de sa partenaire. Sa peau en porcelaine était douce. Les deux amants à l'étage supérieur semblaient s'être calmés puisque le silence était maintenant revenu. Zak se dévêtit pendant que Marjorie se couchait sur le canapé. Il se rendit auprès d'elle et leurs corps se collèrent l'un contre l'autre.

– Promets-moi d'être doux, d'accord ?

***

L'odeur de crêpes à la cannelle qui cuisaient les tira de leur sommeil. Encore blottis l'un contre l'autre, ils se réveillèrent tranquillement. Anxieuse, Marjorie tentait de cacher son corps exposé au regard de Zak.

– Qu'est-ce que tu as ?

– C'est juste que tu es le premier gars… qui me voit nue…

– Arrête. T'es super belle. J'aime tes petites taches de rousseur.

– J'imagine que c'était pas mal mieux avec Victoria.

– Marjorie, promets-moi de pas te comparer à elle. Tu as été magnifique. Tu ne regrettes rien ?

– Moi ? Au contraire. C'était la plus belle nuit de ma vie !

– Allons prendre une bouchée ! Cette odeur me donne faim !

Dans la cuisine, Cédrik, revêtu d'une robe de chambre qui appartenait visiblement à sa mère, préparait le déjeuner.

– Zak ! MJ ! Je vous en ai laissé ! Je suis content de voir que vous êtes restés. En plus, il semble qu'il y ait eu un peu d'action au cours de la soirée ! dit-il en riant fortement.

Marjorie devint rouge comme une tomate.

– MJ ! Bravo ! Et puis ? C'était comment ? Zak a assuré ?

– La ferme et passe-moi une crêpe ! lui lança amicalement Duclair.

Ils vivaient tous le moment présent sans se poser de questions sur leur futur. Zak, tout comme Marjorie, savait que la semaine qui débutait serait très exigeante.

Chapitre 22

– Une semaine ! C'est tout ce qu'on a de garanti... Un autre match ! Contre la Beauce, la victoire aurait pu aller d'un côté comme de l'autre. Je veux que vous compreniez bien ceci : on est encore la même équipe qui est en pleine ascension ! Je ne veux rien entendre sur le passé et des résultats précédents. Tout ce que je veux, c'est plumer La Pocatière ! Ils s'en viennent chez nous avec leur petite attitude arrogante. Ils n'ont aucune idée de la jungle dans laquelle ils vont entrer ! Si vous m'avez trouvé dur et exigeant, vous n'avez encore rien vu ! Cette semaine, vous allez souffrir comme jamais auparavant. Mais vous allez être prêts ! Et de l'autre côté, ils vont vous craindre ! Pourquoi ? Parce que nous serons meilleurs qu'eux ! Je crois en vous et maintenant c'est à votre tour de croire en vous !

C'est par ce discours que Loiselle amorça son intense semaine d'entraînements. Certes, les gars étaient épuisés par leur dernier match et par la saison en général, mais ce n'était pas une raison pour abandonner. En plus de la fatigue, le froid hivernal approchait lentement. Le sol était gelé et le ciel, plus gris. Le temps maussade n'aiderait sûrement pas l'humeur, mais Loiselle ne manquait pas d'énergie. Celle-ci demeurait très contagieuse alors que sa bande aurait à travailler fort toute la semaine.

Au menu : courses et endurance physique. Vêtus d'un harnais, les joueurs couraient en traînant un poids derrière eux. Francoeur et ses receveurs pratiquaient le jeu aérien. Zak et les porteurs de ballon amélioraient leurs départs et jeux de pieds. Surtout, l'accent avait été mis sur l'unité défensive, la clé pour obtenir la victoire. Puisque le jeu au sol de La Pocatière avait été dévastateur lors de leur premier affrontement, Loiselle mettait beaucoup de pression sur P-A pour qu'il maîtrise mieux les jeux appelés. Les joueurs défensifs travaillaient quant à eux leurs plaqués et leurs attaques de blocs. Frapper dans le froid pinçait et chaque impact causait de la douleur.

D'ailleurs, compte tenu de la température, l'escouade de Victoria s'exerçait à l'intérieur depuis quelques semaines. Un soir, à la fin d›un entraînement, Zak reçut un message de Victoria. Elle espérait pouvoir lui parler. Rassuré par ce premier pas, Zak lui demanda de ses nouvelles.

– Ça va. Et toi ?

À sa grande surprise, elle se tenait derrière lui.

– Bien.

– Il paraît que Marjorie et toi…

– Tu es au courant ?

– Le monde du sport étudiant est petit, Zak, dit-elle en souriant. Honnêtement, je suis très contente pour vous deux. Elle est vraiment gentille.

– Toi, comment ça se passe ?

– Pour le moment, plutôt tranquille. J'avais besoin d'un peu de solitude. Zak, je suis sincèrement désolée si je t'ai causé de la peine. Je veux juste te souhaiter un bon match. Ces dernières semaines, vous avez vraiment bien joué. Vous méritez de faire les séries. On va tout faire pour vous donner une grosse dose d'énergie !

– Merci, Victoria. Prends soin de toi.

– Occupe-toi bien d'elle. Ne la perds pas...

Victoria lui donna un doux baiser sur la joue, puis elle alla rejoindre quelques filles plus loin. Zak envoya un message à Marjorie : « As-tu besoin d'aide pour retirer ton costume ? » Elle lui répondit par des sourires.

Chapitre 23

Malgré le soleil éclatant qui plombait le terrain, le sol demeurait gelé par la vague de froid qui s'était abattue sur Rimouski tout au long de la semaine. Quelques jours plus tôt, une petite neige était même tombée, mais elle avait aussitôt disparu.

Voulant recréer une ambiance de *tailgate* comme au football universitaire, le cégep invitait les parents, les amis et les étudiants à s'habiller chaudement et à arriver tôt au stade pour faire la fête. Pour une fois depuis quelques saisons, le public avait répondu à l'appel et l'ambiance était déjà survoltée à quelques heures du botté d'envoi. Certains étudiants osèrent même dissimuler des flacons d'alcool dans leur manteau afin de se réchauffer pendant le match. Il y avait donc de l'énergie dans l'air !

Dans le vestiaire, les joueurs des Pékans tentaient de demeurer calmes malgré les papillons qui gazouillaient dans leur estomac. Ils ne voulaient pas décevoir leurs partisans. L'expérience de Loiselle – il avait gagné la coupe Vanier à l'université – agissait comme un baume auprès de la bande.

Les joueurs appréciaient son attitude décontractée. L'heure n'était pas à la remontrance. Il fallait garder les choses simples et s'amuser. Après tout, n'était-ce pas ça, le but ultime, pour les joueurs ?

– Je ne sais pas si vous avez remarqué, mais les gens se sont déplacés en grand nombre. Ils vont braver le froid toute la journée pour vous voir jouer ! Ce n'était pas le cas en début de saison. C'est tout à votre honneur d'avoir renversé la situation et vous le méritez ! Savourez ce moment... Saisissez cette opportunité qui s'offre à vous. Peu importe le résultat, si vous donnez le maximum de ce que vous pouvez, on pourra pas dire que vous êtes des perdants. Le pointage final d'une partie comporte son lot de chance, mais quand on fait l'effort nécessaire, il se peut qu'elle tourne en notre faveur, dit Loiselle en souriant.

– Les gars ? C'est peut-être mon dernier match Ici. Mes trois années sont passées tellement vite. Je les remplacerais pour rien au monde. La plupart d'entre vous sont devenus des amis pour la vie, et pour les nouveaux, ç'a été un privilège d'avoir disputé cette saison à vos côtés. Honnêtement, j'ai le goût de jouer la semaine prochaine. J'espère que vous aussi ! Allons détruire ces arrogants de La Pocatière ! *Go* Pékans ! *Go* ! hurla Gauthier.

Émus, ses camarades lui emboîtèrent le pas pour se diriger sur le terrain. Marjorie, en uniforme de mascotte, encourageait les joueurs et, au moment du passage de Zak, elle releva sa grosse tête de pékan pour échanger un baiser avec son amoureux.

– Allez les battre ! Regarde dans le bas de la section B. Tu as une surprise, ajouta-t-elle.

Les Pékans arrivèrent sur la musique endiablée de la pièce *Thunderstruck* d'AC/DC. DJ Dan voulait exciter la foule déjà en liesse grâce aux prouesses de Victoria et de son escouade. Zak aperçut Cédrik dans l'estrade qui s'amusait à insulter les joueurs des Riverains. À ses côtés, son père buvait un café pour se réchauffer. Il avait fait la route tôt le matin. Heureux de cette visite surprise, le porteur lui fit signe en levant son casque.

Tout au long de l'échauffement, refusant de se laisser intimider par les partisans locaux, La Pocatière avait affiché une attitude arrogante qu'elle conserva même pendant le tirage au sort. Un joueur lança à Steven Francoeur :

– Vous n'avez aucune chance. On va vous humilier devant votre monde ! Prépare-toi à te faire cogner durement ! Ça va être une longue journée...

Les visiteurs gagnèrent le tirage et la décision fut prise d'entreprendre la rencontre à l'attaque, en espérant que les Pékans aient réussi à régler leurs problèmes défensifs de la semaine précédente. Des deux côtés, les joueurs étaient fébriles. L'unité du botté d'envoi s'installa en formation et s'élança aussitôt, le ballon dans les airs. Les deux clans se frappèrent sans retenue, à l'image d'une scène de *Braveheart*. Rimouski parvint à plaquer le retourneur adverse à la ligne de trente verges. La Pocatière tenta d'imposer son jeu au sol, mais l'unité défensive était alerte et les força à dégager après le troisième essai.

Rimouski reprit le ballon pour sa première séquence offensive du match. Afin de déstabiliser son adversaire, Loiselle entendait varier souvent ses jeux à l'attaque. Francoeur fit donc une feinte à Zak, puis lança le ballon à son receveur, Alex Dufresne, qui courait un tracé intermédiaire au centre. La passe captée, il avança de quinze verges.

En ce début de partie, le quart-arrière était en parfait contrôle. Il fit une remise vers Zak qui fila rapidement vers la droite. Il gagna six verges avant de se faire solidement plaquer. Même s'il perdit son souffle un court instant, orgueilleux, il se releva promptement afin de ne pas laisser paraître aux Riverains l'impact du coup qui lui avait été infligé. Sur les lignes de côté, Maillé, en béquilles, encourageait ses coéquipiers et refilait quelques conseils à Zak.

L'attaque continua d'avancer mais se retrouva finalement dans une impasse à la ligne de trente-cinq verges de La Pocatière. Marc-Stéphane Morin s'installa et parvint à envoyer le ballon entre les deux poteaux, ce qui permit aux Pékans de s'inscrire les premiers au tableau indicateur. Une statistique que Maxim « King » Roy prenait bien soin de crier aux joueurs adverses alors qu'il quittait le terrain vers les lignes de côté sous les applaudissements de la foule. Les partisans étaient heureux de voir leur équipe prendre les devants.

Malheureusement, l'avance de Rimouski fut de courte durée. La Pocatière parvint à pénétrer profondément dans la zone des Pékans avec son attaque terrestre. Grâce à leur robuste porteur de ballon, les Riverains marquèrent un touché sur une course de dix-sept verges, prenant ainsi les devants à la fin du premier quart.

Le jeu devint plus robuste au deuxième quart. De part et d'autre, on essayait de s'intimider afin de faire perdre la concentration de l'adversaire et, qui sait, obtenir des verges supplémentaires en guise de punitions. Pour Zak, cette partie signifiait une fois encore des retrouvailles avec son ancien coéquipier du secondaire, Keven Dumas. Bien que leur première rencontre se soit relativement bien déroulée, cette fois-ci Dumas ne le ménageait pas. À quelques reprises, il s'offrait même le luxe de lâcher son joueur pour tenter de mettre Zak au sol, ce qu'il finit par réussir.

– Zak ! Tu vas finir le match sur le banc. D'ici la fin, je vais tellement te briser !

– Dumas ! Ta mère me plaquait plus fort au lit ! lâcha Zak, sous le regard étonné de Maxim, le roi des insultes, qui ne pouvait que se prosterner devant cette affirmation.

Avec moins d'une minute à faire, La Pocatière reprit le ballon grâce à une interception à la suite d'une mauvaise passe de Francoeur, qui s'en voulait terriblement d'avoir précipité son geste. Les Riverains continuaient de menacer dans le territoire de Rimouski et, pendant que Yan Allard, le demi de coin, glissa au sol, le quart-arrière adverse en profita pour lancer une bombe à son receveur maintenant libéré. La passe facilement captée pour un touché, La Pocatière accentuait son avance par onze points sous les huées des spectateurs. Elle menait quatorze à trois à la mi-temps.

Loiselle regroupa ses joueurs dans le vestiaire pour un dernier discours.

– Vous connaissez mon histoire. J'ai fait une connerie. J'ai pris ces foutus stéroïdes, croyant pouvoir faire ma place dans le football professionnel. J'ai eu tort et j'en ai payé le prix. Autrefois, j'aurais fait n'importe quoi pour échanger ma place contre la vôtre et avoir une deuxième chance. Aujourd'hui, quoi qu'il arrive, vous m'avez offert cette chance de me reprendre. Je vous remercie de m'avoir accepté dès le départ, sans me juger. Vous êtes un beau groupe de jeunes. Maintenant, sortez avec tout ce qui vous reste en dedans et allez me chercher cette victoire-là !

Les mots de leur entraîneur enflammèrent les Pékans qui entamèrent la deuxième demie en force. Sur un deuxième essai et quatre verges à franchir, Loiselle opta pour un jeu truqué. Francoeur remit le ballon à Zak pour un balayage. Duclair courut vers sa droite et fit une passe au grand Morin, laissé seul derrière la tertiaire des Riverains, qui inscrivit un touché. Rapidement, Rimouski réduisit l'écart à quatre points. Tous les espoirs étaient permis !

La défensive des Pékans s'illustra à quelques occasions, Whittom s'offrant même un sac du quart, mais l'offensive n'arrivait pas à capitaliser dans la zone payante. Loiselle prêchait la patience : il ne fallait pas tomber dans l'indiscipline. Le troisième quart prit fin avec un pointage de quatorze à dix.

La pression était forte sur Rimouski. Les Pékans devaient contenir l'offensive de leur adversaire. Un autre touché, et ils pouvaient dire adieu à leur saison. L'intensité était à son comble. Les joueurs se bousculaient un peu plus après les jeux. Les insultes pleuvaient. Maxim carburait à plein régime dans ce genre de partie. Tout au long de la rencontre, il s'en était donné à cœur joie en lançant des bêtises, souvent accompagnées de petits gestes disgracieux. Ses coéquipiers le félicitèrent alors qu'il accomplissait tout un jeu, empêchant du même coup un touché. Le porteur de ballon de La Pocatière, retenu aux jambes par le secondeur intérieur, se fit ramasser par Roy qui arrivait à pleine vitesse. Il lui fit même perdre le ballon, immédiatement recouvré par un des joueurs de ligne à l'attaque. La Pocatière conserva sa possession, et dut effectuer un placement qu'elle réussit facilement. Le pointage était maintenant dix-sept pour La Pocatière contre dix pour Rimouski. La foule se tut, incrédule devant cette chance en or ratée par Rimouski de voler le ballon. DJ Dan sortit sa musique la plus entraînante afin de revigorer les spectateurs !

Le temps s'écoulait trop rapidement au goût des Pékans qui n'avaient plus le choix : ils devaient inscrire un touché. Avec deux minutes restant au cadran, Danick Gauthier offrit cette occasion à son équipe en créant un revirement. Rassemblés auprès de leur quart-arrière lors du caucus, les joueurs se regardaient sérieusement dans les yeux. Zak fit un hochement de tête qui fut repris par chacun de ses coéquipiers. La saison se jouait sur cette prochaine séquence. Ce silence voulait tout dire : on pardonnait le passé et on se sacrifiait pour le touché.

Les Pékans reprirent le ballon profondément dans leur territoire. Zak reçut la remise de Francoeur et effectua une incroyable course de trente-cinq verges, courant patiemment derrière sa ligne offensive qui lui ouvrait le chemin par de très beaux blocs. La foule explosa de joie !

Ils se retrouvaient donc au centre du terrain avec encore une minute et quarante-cinq secondes à la partie. Quelques jeux plus tard, c'était au tour de Francoeur de faire preuve de beaucoup de courage et de maturité en encaissant un lourd plaqué alors qu'il décochait une passe en direction d'Alex Dufresne. Il avait vu le gros joueur défensif venir vers lui et, sachant qu'il devait en payer le prix, il n'avait pas bougé. Heureusement, Dufresne, qui jongla quelques instants avec le ballon, parvint à le capter en tombant au sol.

Vingt secondes au cadran, les Pékans se retrouvaient à la ligne de vingt-deux. Ils s'installèrent en formation avec Zak, un peu plus décalé que Francoeur. Au lever du ballon, il fila à toute vitesse vers la gauche, se débarrassant facilement du secondeur qui devait le surveiller. Francoeur capta la remise et effectua une rapide passe latérale à Duclair qui exécuta une incroyable feinte en coupant à l'intérieur du terrain pour faire rater un plaqué. Ensuite, il sauta par-dessus un autre joueur qui tentait de se lancer dans ses jambes. Il parvint à courir le long des lignes de côté, mais le maraudeur qui venait vers lui semblait avoir un bon angle de poursuite pour le plaquer. Zak décida alors de sauter en s'allongeant de tout son long dans les airs, tenant le ballon en avant pour atteindre la ligne des buts. Le maraudeur frappa Zak dans les airs et les deux garçons tombèrent au sol.

Avec ce contact violent, Zak ne savait plus où il était sur le terrain. Sur le dos, il leva la tête en direction de l'arbitre : TOUCHÉ PÉKANS ! La transformation n'était qu'une formalité et Rimouski força une prolongation avec un pointage de dix-sept, sous les encouragements de la foule en délire !

Chapitre 24

La prolongation : chaque équipe avait droit à une séquence avec le ballon, commençant à la ligne de trente-cinq verges de son adversaire. Si aucune équipe ne parvenait à marquer plus de points que l'autre pendant cette première période, on recommencerait le processus jusqu'à ce qu'il y ait un gagnant.

Rimouski débuta avec le ballon. Un premier jeu au sol avec Zak ne connut pas de succès. Sur le deuxième essai, Francoeur repéra Pelletier, discret jusqu'à maintenant, pour un jeu de six verges. Troisième essai et quatre verges à franchir : on tentait le balayage à droite avec Zak qui, malgré un deuxième effort remarquable, ne parvint qu'à gagner trois verges. Loiselle choisit de jouer prudemment en envoyant l'unité de botté de placement sur le terrain. Morin s'élança et le ballon passa facilement entre les poteaux, pour un gain de trois points.

La défensive des Pékans devait absolument empêcher un touché venant des Riverains sur la séquence suivante. À son premier essai, La Pocatière gagna six verges avec une course au centre du terrain. Elle tenta la même stratégie au jeu suivant, mais Étienne Whittom se faufila derrière son bloqueur et mit fin à la menace à la ligne de mêlée. La Pocatière s'installa en formation de passe pour leur troisième essai et quatre verges. Pierre-Antoine, situé à droite de la ligne défensive, anticipa une passe. Il prit bien soin d'enfoncer solidement son crampon gauche dans le sol pour obtenir un puissant et rapide départ en direction du quart-arrière adverse. Le ballon fut levé, le quart recula et repéra un receveur laissé seul au centre du terrain. Il fit sa motion afin de s'élancer, mais P-A s'étira de tout son long et percuta le bras droit de son adversaire en plein mouvement. Le ballon bondit dans les airs et P-A réussit à se retourner au bon moment pour l'intercepter !

– Victoire Rimouski ! annonça DJ Dan d'une voix triomphante pour le plus grand plaisir de la foule.

Joueurs, entraîneurs, thérapeutes, parents, amis, élèves : tout le monde se retrouva au centre du terrain pour faire la fête. Les frères Rioux perpétuèrent la tradition en versant un contenant d'eau glacée sur la tête de Loiselle.

L'entraîneur s'approcha du joueur du match.

– P-A ? Merci de m'avoir fait confiance. L'an prochain, tu deviendras un élément essentiel à notre équipe.

– Merci pour cette chance, *coach.* Je ne l'oublierai jamais.

C'était également l'euphorie dans les estrades alors que les joueurs de La Pocatière retournaient au vestiaire la tête basse, subissant les insultes de certains étudiants de Rimouski.

Surexcité, Cédrik aida le père de Zak à rejoindre le terrain.

– P'pa ? Es-tu fou ? Qu'est-ce que tu fais ici ?

– J'aurais manqué ça pour rien au monde ! Surtout après ta rupture. Bravo ! Quel match ! Je suis vraiment fier de toi.

– M'man ?

– Tu sais qu'elle n'aime pas rouler de longues distances. Par contre, elle l'écoutait par Internet. Elle te félicite.

– J'aimerais te présenter quelqu'un. Marjorie ?

Le pékan géant vint les rejoindre et retira sa grosse tête de mascotte.

– C'est Marjorie, ma blonde.

– Enchanté ! dit-il, surpris par cette annonce.

– Le plaisir est mien, monsieur Duclair.

Les deux amoureux échangèrent un long baiser sous les regards étonnés du père de Zak et du directeur André Lacroix, qui applaudissait son équipe du haut des gradins.

***

Au vestiaire, Loiselle, encore complètement trempé, s'adressa à ses joueurs :

– Je suis tellement fier de vous, les gars. Quelle partie ! Les Rioux, vous allez courir en maudit cette semaine, dit-il, le sourire fendu jusqu'aux oreilles. Y'a pas grand monde qui a cru en nous, mais vous, vous avez réussi à accomplir quelque chose qui n'a pas été fait à Rimouski depuis très longtemps. On fait les séries ! Et la semaine prochaine, on affronte la meilleure équipe de la ligue : Trois-Rivières. Profitez-en ce soir. En quittant le vestiaire, assurez-vous de remercier vos parents et vos amis qui ont bravé la température pour vous aujourd'hui. Surtout, revenez demain prêts à travailler, car l'aventure commence pour vrai !

Épilogue

Le miracle ne s'était pas produit. La logique fut respectée et la meilleure équipe avait triomphé. Comme le soulignait Loiselle, les Pékans pouvaient être fiers de leur prestation. La partie fut âprement disputée, la victoire acquise par l'écart d'un simple touché. Rimouski s'inclinait donc à son premier match éliminatoire face à Trois-Rivières.

Si quelques vétérans demeuraient inconsolables à l'idée de terminer leur carrière sur cette note, l'avenir semblait plutôt prometteur pour l'équipe. Elle possédait un bon noyau de joueurs qui reviendraient la saison prochaine. De plus, Loiselle était satisfait du parcours de son équipe. Il avait dû composer avec un groupe d'individus égoïstes qu'il avait réussi à faire jouer ensemble et qui apprit à se sacrifier collectivement. Il voulait aussi que ses joueurs retiennent cette morale : « Parfois, le succès vient instantanément, mais la plupart du temps, il faut plusieurs essais pour y arriver. Il se peut même qu'il ne se présente pas. Par contre, on n'y accède jamais sans du travail, de la discipline et de l'acharnement. »

Quant à Zak, après un automne mouvementé, tout ce qu'il espérait c'était une fin de session plus calme ! Le spartiate n'était plus. L'équipement et l'uniforme seraient rangés jusqu'à la prochaine guerre. Pour l'instant, c'était le repos du guerrier. Il fallait panser les plaies pour être encore meilleur lorsque la nouvelle saison débuterait. Il avait foi en son entraîneur. Il croyait en ses frères d'armes. Il était désormais un Pékan !

Jacky Salaberry,
la nouvelle lecture gaslamp fantasy
chez Perro Éditeur !
Mel Gosselin
Jacky Salaberry
PERRO
Mel Gosselin
Jacky Salaberry
PERRO

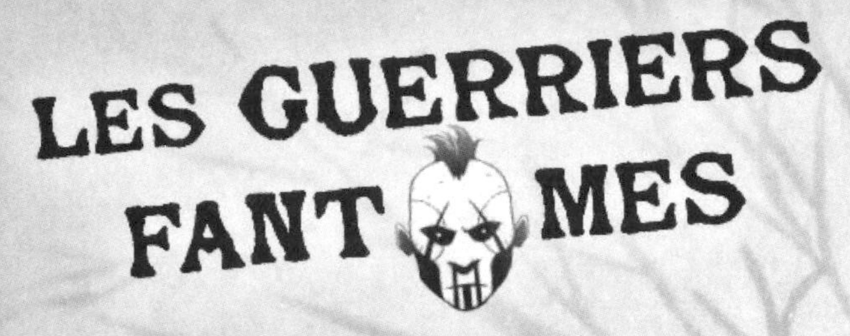

Croisement entre l'esprit d'aventure du Dernier des Mohican
et le rythme frénétique d'Indiana Jone
le tout avec un soupçon de mythologie fantastique à la Hellboy
les guerriers fantômes dressent un portrait de la Nouvelle-Franc
comme vous ne l'aurez jamais lu

Entre le passé et le futur,
la préhistoire et les extraterrestres,

Äourö

La série de romans jeunesse
qui va t'accrocher !

Linda Corbo

Laura St-Pierre

LINDA CORBO

Laura St-Pierre

Journaliste d'enquête

LINDA CORBO

Laura St-Pierre

Trop jeune pour mourir

PERRO
éditeur